사고력 수학 소마가 개발한 연산학습의 새 기준!!

소마의 **마**술같은 원리**셈**

소마셈

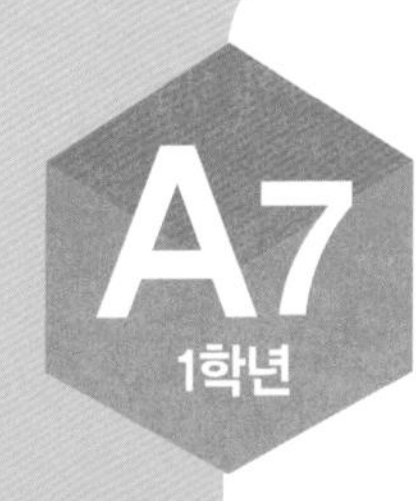

수학이 즐거워지는 특별한 수학교실
소마에서 개발한 연산교재 소마셈

소마셈

2002년 대치소마 개원 이후로 끊임없는 교재 연구와 교구의 개발은 소마의 자랑이자 자부심입니다.
교구, 게임, 토론 등의 다양한 활동식 수업으로 스스로 문제해결능력을 키우고, 아이들이 수학에 대한 흥미와 자신감을 가질 수 있도록 차별성 있는 수업을 해 온 소마에서 연산 학습의 새로운 패러다임을 제시합니다.

연산 교육의 현실

연산 교육의 가장 큰 폐해는 '초등 고학년 때 연산이 빠르지 않으면 고생한다.'는 기존 연산 학습지의 왜곡된 마케팅으로 인해 단순 반복을 통한 기계적 연산을 강조하는 것입니다. 하지만, 기계적 반복을 위주로 하는 연산은 개념과 원리가 빠진 연산 학습으로써 아이들이 수학을 싫어하게 만들 뿐 아니라 사고의 확장을 막는 학습방법입니다.

초등수학 교과과정과 연산

초등교육과정에서는 문자와 기호를 사용하지 않고 말로 풀어서 연산의 개념과 원리를 설명하다가 중등교육과정부터 문자와 기호를 사용합니다. 교과서를 살펴보면 모든 연산의 도입에 원리가 잘 설명되어 있습니다. 요즘 현실에서는 연산의 원리를 묻는 서술형 문제도 많이 출제되고 있는데 연산은 연습이 우선이라는 인식이 아직도 지배적입니다.

연산 학습은 어떻게?

연산 교육은 별도로 떼어내어 추상적인 숫자나 기호만 가지고 다뤄서는 절대로 안됩니다. 구체물을 가지고 생각하고 이해한 후, 연산 연습을 하는 것이 필요합니다. 또한, 속도보다 정확성을 위주로 학습하여 실수를 극복할 수 있는 좋은 습관을 갖추는 데에 초점을 맞춰야 합니다.

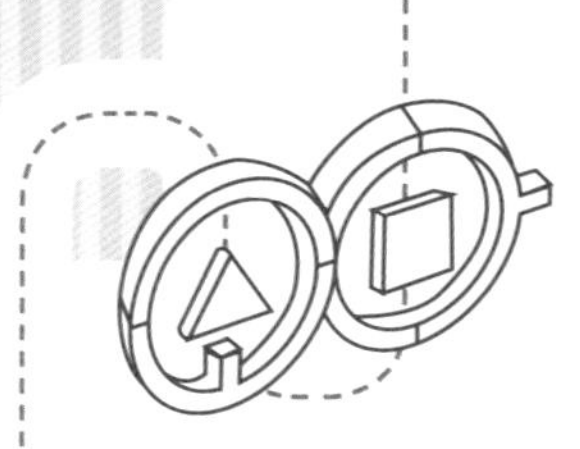

소마셈 연산학습 방법

10이 넘는 한 자리 덧셈 구체물을 통한 개념의 이해

덧셈과 뺄셈의 기본은 수를 세는 데에 있습니다. 8+4는 8에서 1씩 4번을 더 센 것이라는 개념이 중요합니다. 10의 보수를 이용한 받아 올림을 생각하면 8+4는 (8+2)+2지만 연산 공부를 시작할 때에는 덧셈의 기본 개념에 충실한 것이 좋습니다. 이 책은 구체물을 통해 개념을 이해할 수 있도록 구체적인 예를 든 연산 문제로 구성하였습니다.

가로셈 가로셈을 통한 수에 대한 사고력 기르기

세로셈이 잘못된 방법은 아니지만 연산의 원리는 잊고 받아 올림한 숫자는 어디에 적어야 하는지만을 기억하여 마치 공식처럼 풀게 합니다. 기계적으로 반복하는 연습은 생각없이 연산을 하게 만듭니다. 가로셈을 통해 원리를 생각하고 수를 쪼개고 붙이는 등의 과정에서 키워질 수 있는 수에 대한 사고력도 매우 중요합니다.

곱셈구구 곱셈도 개념 이해를 바탕으로

곱셈구구는 암기에만 초점을 맞추면 부작용이 큽니다. 곱셈은 덧셈을 압축한 것이라는 원리를 이해하며 구구단을 외움으로써 연산을 빨리 할 수 있다는 것을 알게 해야 합니다. 곱셈구구를 외우는 것도 중요하지만 곱셈의 의미를 정확하게 아는 것이 더 중요합니다. 4×3을 할 줄 아는 학생이 두 자리 곱하기 한 자리는 안 배워서 45×3을 못 한다고 말하는 일은 없도록 해야 합니다.

K단계 (5, 6, 7세) • 연산을 시작하는 단계

뛰어세기, 거꾸로 뛰어세기를 통해 수의 연속한 성질(linearity)을 이해하고 덧셈, 뺄셈을 공부합니다. 각 권의 호흡은 짧지만 일관성 있는 접근으로 자연스럽게 나선형식 반복학습의 효과가 있도록 하였습니다.

학습대상 : 연산을 시작하는 아이와 한 자리 수 덧셈을 구체물(손가락 등)을 이용하여 해결하는 아이

학습목표 : 수와 연산의 튼튼한 기초 만들기

P단계 (7세, 1학년) • 받아올림이 있는 덧셈, 뺄셈을 배울 준비를 하는 단계

5, 6, 9 뛰어세기를 공부하면서 10을 이용한 더하기, 빼기의 편리함을 알도록 한 후, 가르기와 모으기의 집중학습으로 보수 익히기, 10의 보수를 이용한 덧셈, 뺄셈의 원리를 공부합니다.

학습대상 : 받아올림이 없는 한 자리 수의 덧셈을 할 줄 아는 학생

학습목표 : 받아올림이 있는 연산의 토대 만들기

A단계 (1학년) • 초등학교 1학년 교과과정 연산

받아올림이 있는 한 자리 수의 덧셈, 뺄셈은 연산 전체에 매우 중요한 단계입니다. 원리를 정확하게 알고 A1에서 A4까지 총 4권에서 한 자리 수의 연산을 다양한 과정으로 연습하도록 하였습니다.

학습대상 : 초등학교 1학년 수학교과과정을 공부하는 학생

학습목표 : 10의 보수를 이용한 받아올림이 있는 덧셈, 뺄셈

B단계 (2학년) • 초등학교 2학년 교과과정 연산

두 자리, 세 자리 수의 연산을 다룬 후 곱셈, 나눗셈을 다루는 과정에서 곱셈구구의 암기를 확인하기보다는 곱셈구구를 외우는데 도움이 되고, 곱셈, 나눗셈의 원리를 확장하여 사고할 수 있도록 하는데 초점을 맞추었습니다.

학습대상 : 초등학교 2학년 수학교과과정을 공부하는 학생

학습목표 : 덧셈, 뺄셈의 완성 / 곱셈, 나눗셈의 원리를 정확하게 알고 개념 확장

C단계 (3학년) • 초등학교 3, 4학년 교과과정 연산

B단계까지의 소마셈은 다양한 문제를 통해서 학생들이 즐겁게 연산을 공부하고 원리를 정확하게 알게 하는데 초점을 맞추었다면, C단계는 3학년 과정의 큰 수의 연산과 4학년 과정의 혼합 계산, 괄호를 사용한 식 등, 필수 연산의 연습을 충실히 할 수 있도록 하였습니다.

학습대상 : 초등학교 3, 4학년 수학교과과정을 공부하는 학생

학습목표 : 큰 수의 곱셈과 나눗셈, 혼합 계산

D단계 (4학년) • 초등학교 4, 5학년 교과과정 연산

분모가 같은 분수의 덧셈과 뺄셈, 소수의 덧셈과 뺄셈을 공부하여 초등 4학년 과정 연산을 마무리하고 초등 5학년 연산과정에서 가장 중요한 약수와 배수, 분모가 다른 분수의 덧셈과 뺄셈을 충분히 익힐 수 있도록 하였습니다.

학습대상 : 초등학교 4, 5학년 수학교과과정을 공부하는 학생

학습목표 : 분모가 같은 분수의 덧셈과 뺄셈, 소수의 덧셈과 뺄셈, 분모가 다른 분수의 덧셈과 뺄셈

소마셈 단계별 학습내용

K단계 추천연령 : 5, 6, 7세

단계	K1	K2	K3	K4
권별 주제	10까지의 더하기와 빼기 1	20까지의 더하기와 빼기 1	10까지의 더하기와 빼기 2	20까지의 더하기와 빼기 2
단계	K5	K6	K7	K8
권별 주제	10까지의 더하기와 빼기 3	20까지의 더하기와 빼기 3	20까지의 더하기와 빼기 4	7까지의 가르기와 모으기

P단계 추천연령 : 7세, 1학년

단계	P1	P2	P3	P4
권별 주제	30까지의 더하기와 빼기 5	30까지의 더하기와 빼기 6	30까지의 더하기와 빼기 10	30까지의 더하기와 빼기 9
단계	P5	P6	P7	P8
권별 주제	9까지의 가르기와 모으기	10 가르기와 모으기	10을 이용한 더하기	10을 이용한 빼기

A단계 추천연령 : 1학년

단계	A1	A2	A3	A4
권별 주제	덧셈구구	뺄셈구구	세 수의 덧셈과 뺄셈	□가 있는 덧셈과 뺄셈
단계	A5	A6	A7	A8
권별 주제	(두 자리 수)+(한 자리 수)	(두 자리 수)−(한 자리 수)	두 자리 수의 덧셈과 뺄셈	□가 있는 두 자리 수의 덧셈과 뺄셈

B단계 추천연령 : 2학년

단계	B1	B2	B3	B4
권별 주제	(두 자리 수)+(두 자리 수)	(두 자리 수)−(두 자리 수)	세 자리 수의 덧셈과 뺄셈	덧셈과 뺄셈의 활용
단계	B5	B6	B7	B8
권별 주제	곱셈	곱셈구구	나눗셈	곱셈과 나눗셈의 활용

C단계 추천연령 : 3학년

단계	C1	C2	C3	C4
권별 주제	두 자리 수의 곱셈	두 자리 수의 곱셈과 활용	두 자리 수의 나눗셈	세 자리 수의 나눗셈과 활용
단계	C5	C6	C7	C8
권별 주제	큰 수의 곱셈	큰 수의 나눗셈	혼합 계산	혼합 계산의 활용

D단계 추천연령 : 4학년

단계	D1	D2	D3	D4
권별 주제	분모가 같은 분수의 덧셈과 뺄셈(1)	분모가 같은 분수의 덧셈과 뺄셈(2)	소수의 덧셈과 뺄셈	약수와 배수
단계	D5	D6		
권별 주제	분모가 다른 분수의 덧셈과 뺄셈(1)	분모가 다른 분수의 덧셈과 뺄셈(2)		

1

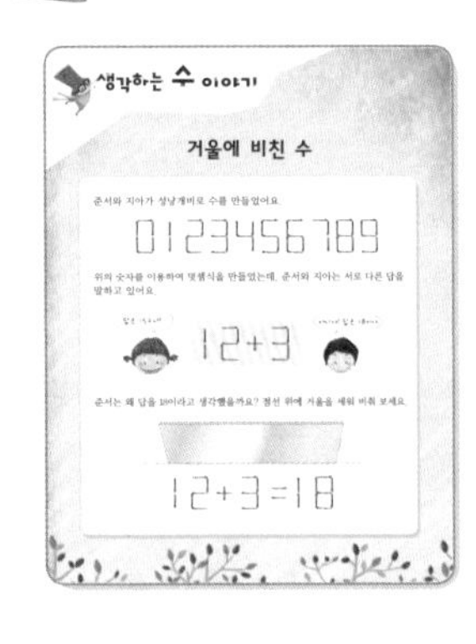

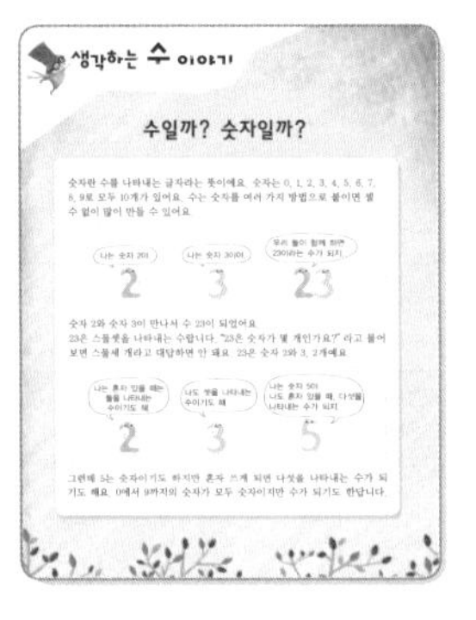

수 이야기

생활 속의 수 이야기를 통해 수와 연산의 이해를 돕습니다. 수의 역사나 재미있는 연산 문제를 접하면서 수학이 재미있는 공부가 되도록 합니다.

2

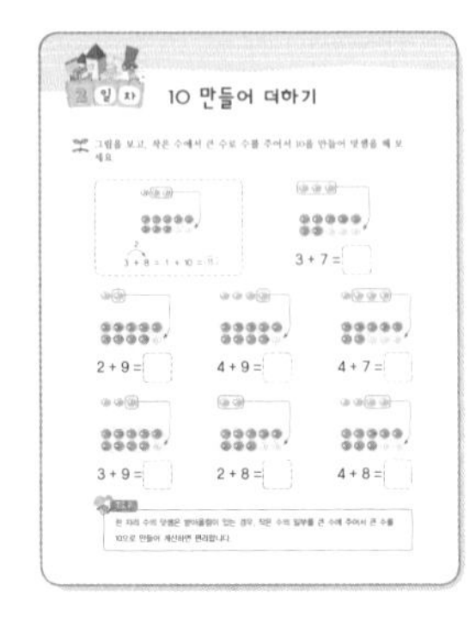

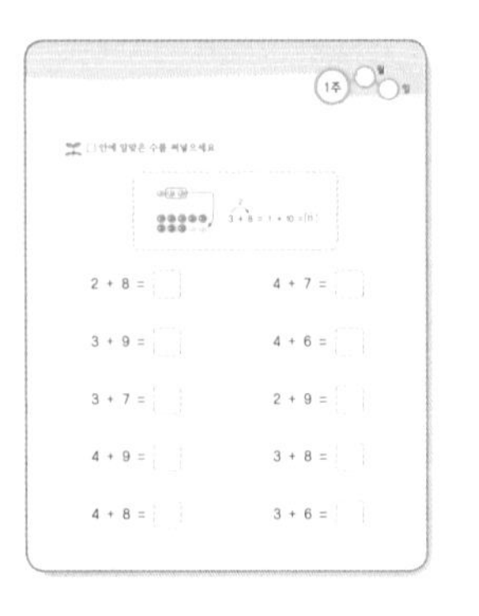

원리 & 연습

구체물 또는 그림을 통해 연산의 원리를 쉽게 이해하고, 원리의 이해를 바탕으로 연산이 익숙해지도록 연습합니다.

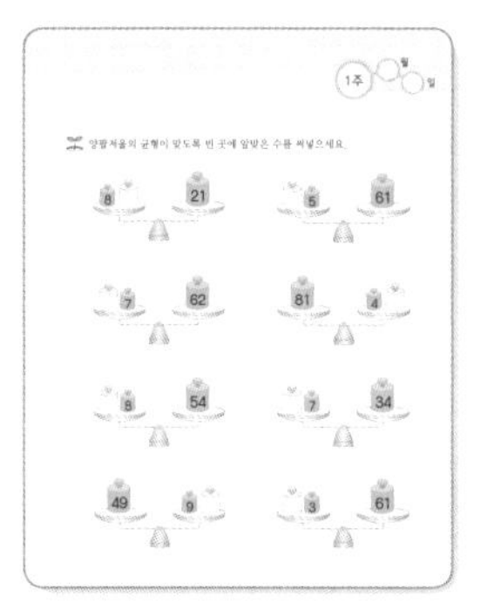

사고력 연산

반복적인 연산에서 나아가 배운 원리를 활용하여 확장된 문제를 해결합니다. 어려운 문제를 싣기보다 다양한 생각을 할 수 있는 내용으로 구성하였습니다.

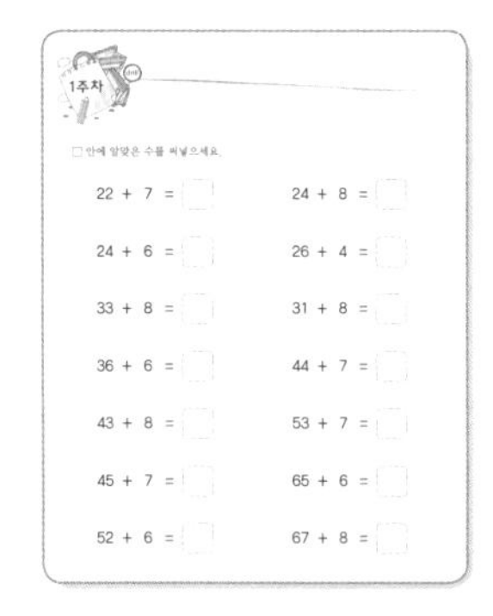

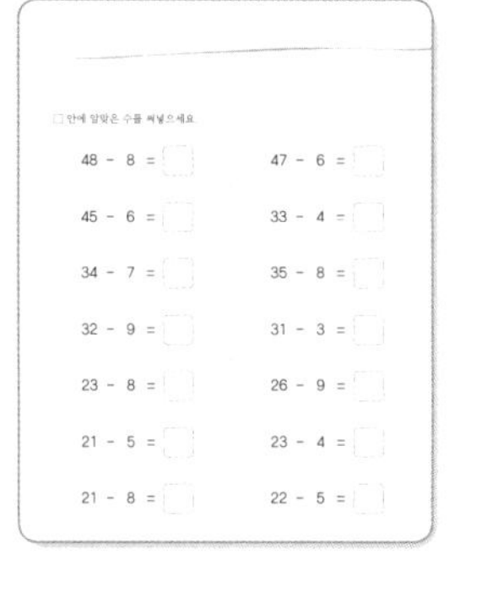

Drill (보충학습)

주차별 주제에 대한 연습이 더 필요한 경우 보충학습을 활용합니다.

연산과정의 확인이 필수적인 주제는 Drill의 양을 2배로 담았습니다.

말판 놀이

주사위를 이용하여 말판 놀이를 해 보세요.

1. 두 명 또는 세 명이 합니다.
2. 주사위를 던져 나온 수만큼 말을 옮겨갑니다.
3. 말이 놓인 자리의 수와 주사위 눈의 수의 합을 말합니다.
4. 이때, 그 합이 틀리면 뒤로 2칸을 갑니다.
5. 번갈아가며 여러 번 하여 먼저 도착한 사람이 이깁니다.

같은 방법으로 주사위를 던져 나온 눈의 차를 말하는 게임으로 바꾸어 활동할 수도 있습니다.

37	44	77		29	66	48
50		52		82		26
62		63	40	51		51
42						22
33	19	50	35	21	14	← 출발

소마셈 A7 – 1주차

두 자리 수의
덧셈과 뺄셈

덧셈과 뺄셈

□ 안에 알맞은 수를 써넣으세요.

18 - 5 = 13
18 + 5 = 23

31 - 2 = □
31 + 2 = □

22 - 8 = □
22 + 8 = □

27 - 6 = □
27 + 6 = □

33 - 4 = □
33 + 4 = □

29 - 9 = □
29 + 9 = □

40 - 3 = □
40 + 3 = □

42 - 7 = □
42 + 7 = □

올바른 계산 결과를 찾아 선으로 그어 보세요.

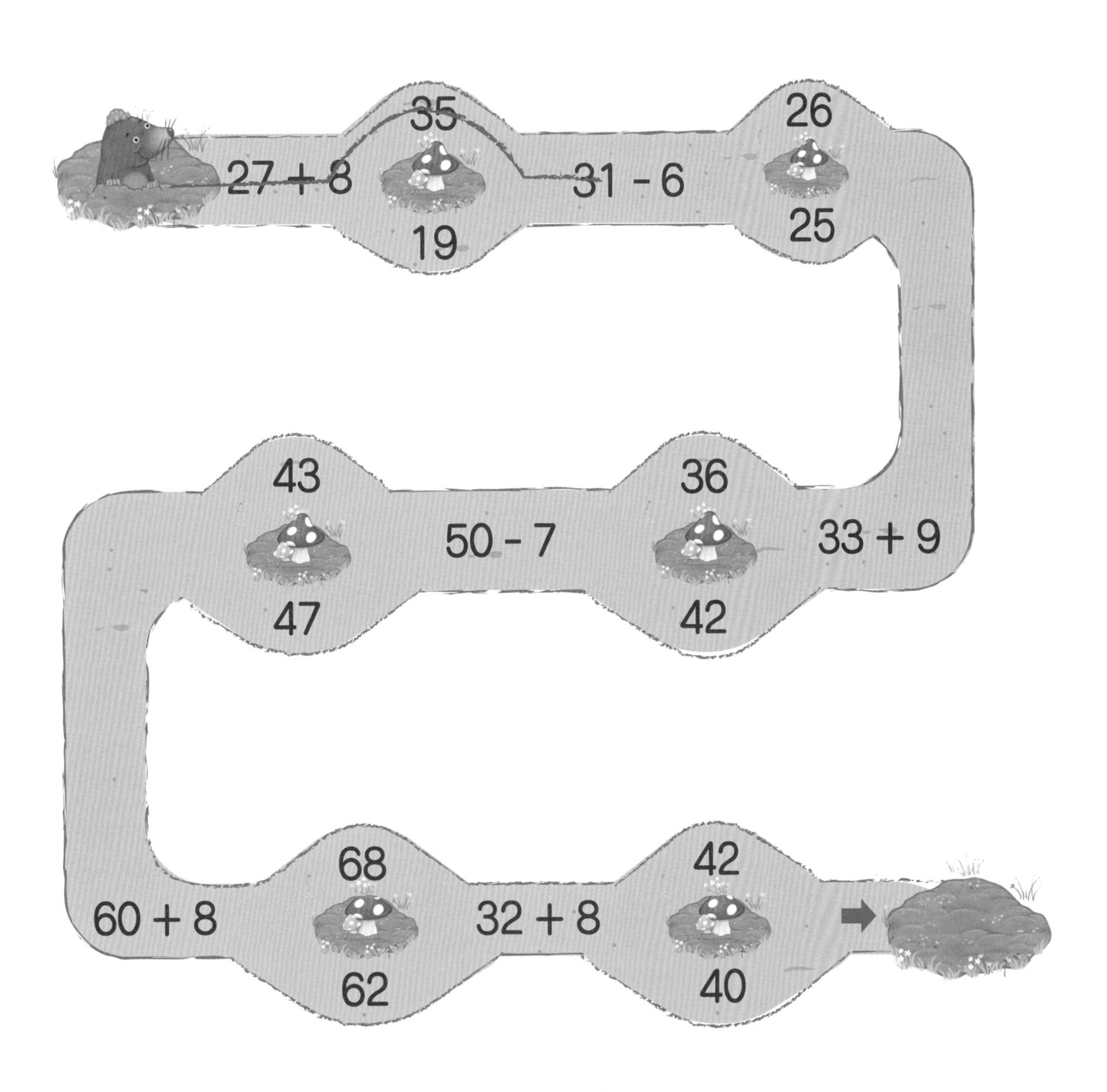

잘못된 식

다음 중 계산이 잘못된 식을 찾아 답을 바르게 고쳐 보세요.

$36+5=\not{42}$ 41	$36-5=31$
$27+8=35$	$27-8=16$
$56+7=63$	$56-7=47$
$43+9=51$	$43-9=34$
$67+8=75$	$67-8=57$

다음 중 계산이 잘못된 식을 찾아 답을 바르게 고쳐 보세요.

$29 + 8 = 37$	$29 - 8 = 27$ 21
$46 + 9 = 54$	$46 - 9 = 37$
$73 + 5 = 78$	$73 - 5 = 66$
$57 + 4 = 60$	$57 - 4 = 53$
$83 + 8 = 91$	$83 - 8 = 73$

덧셈, 뺄셈 퍼즐

계산 결과가 같은 것끼리 선으로 이어 보세요.

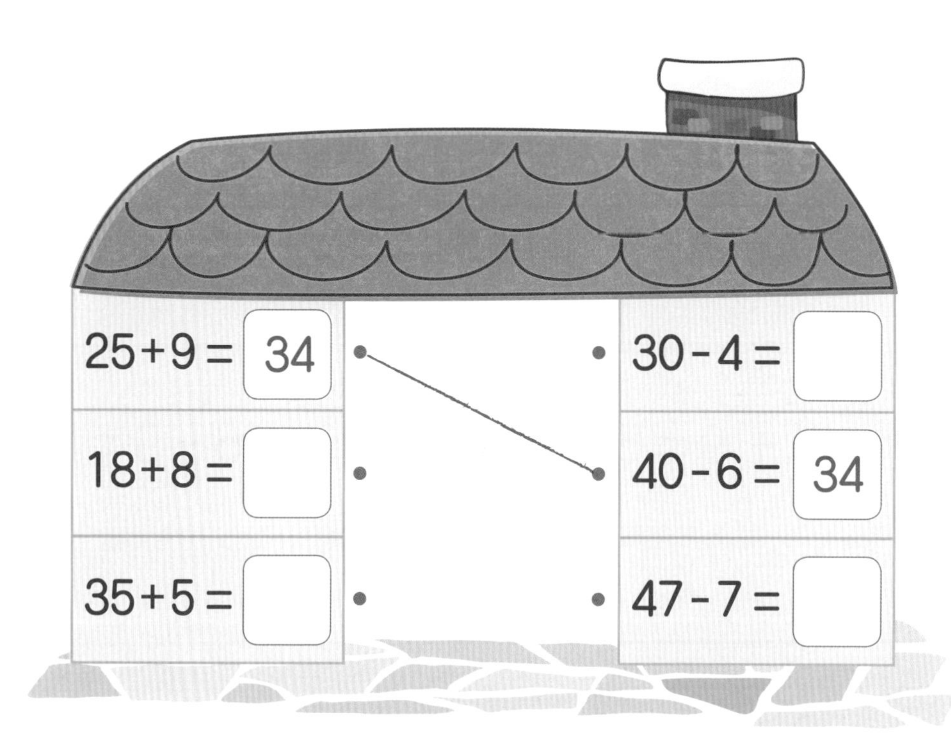

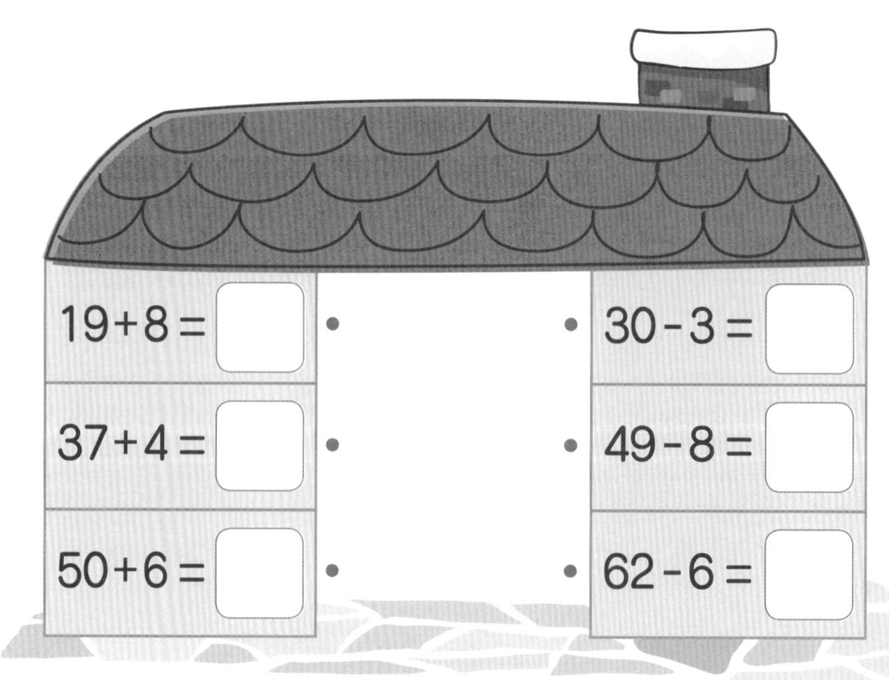

계산 결과가 같은 것끼리 선으로 이어 보세요.

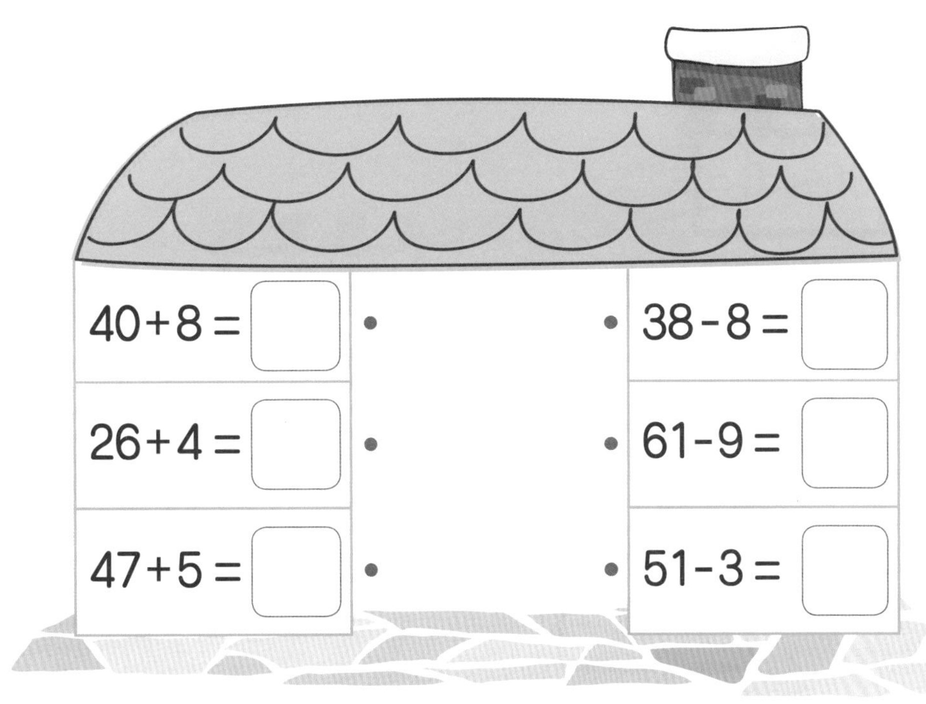

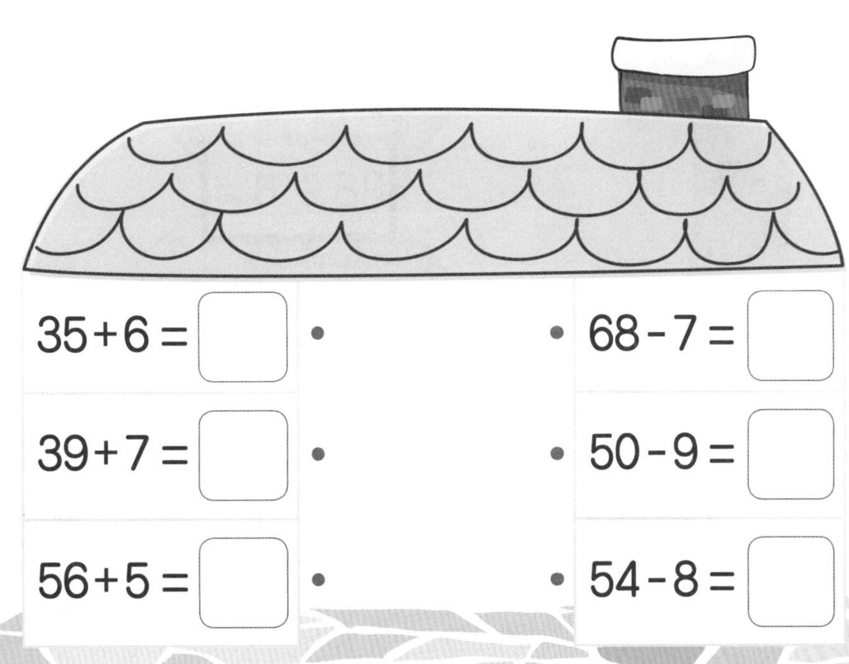

 올바른 계산 결과가 되도록 길을 그려 보세요.

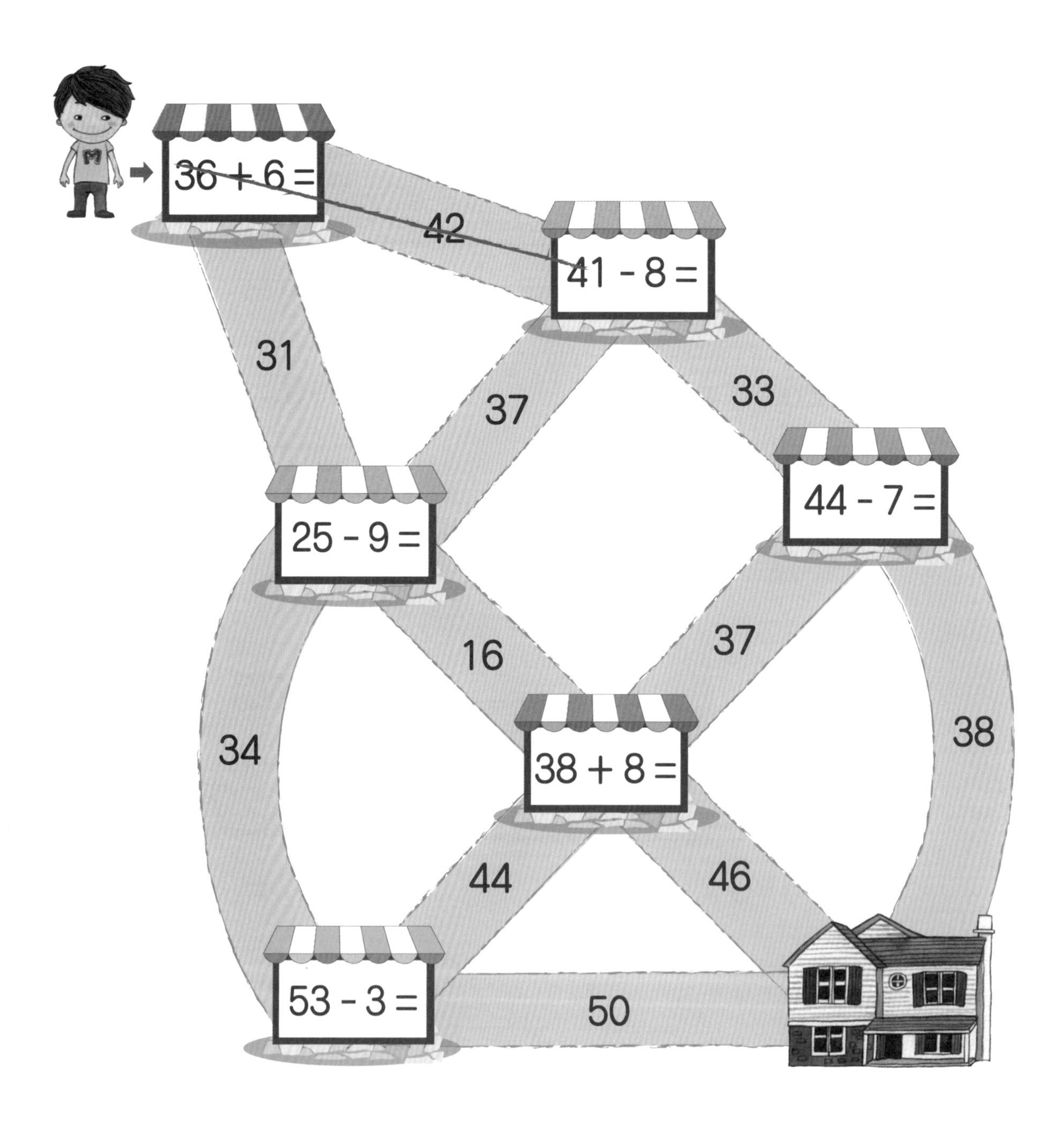

규칙 찾기

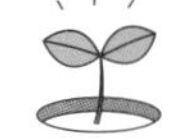

규칙을 찾아 빈칸에 알맞은 수를 써넣으세요.

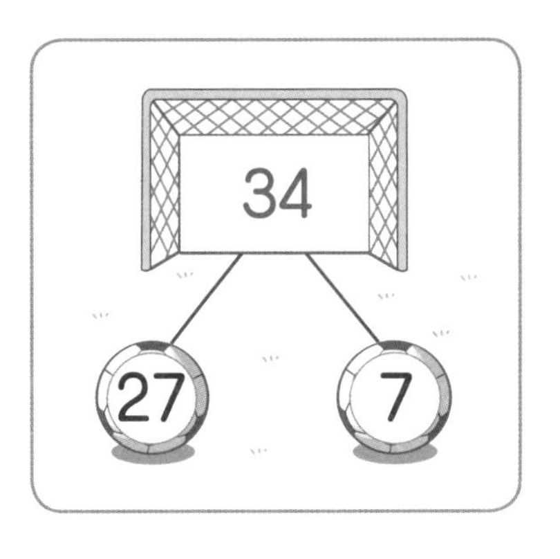

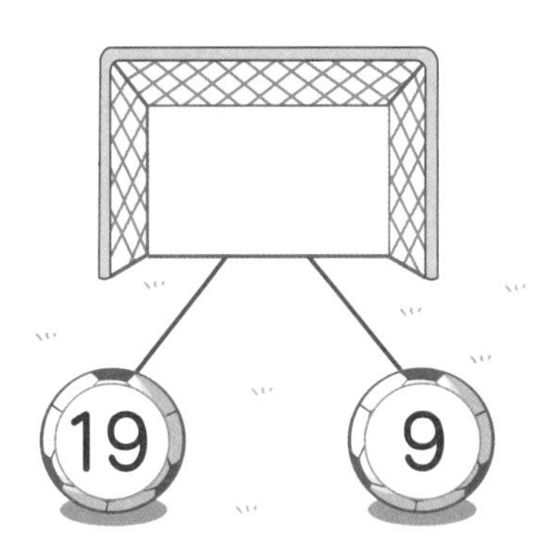

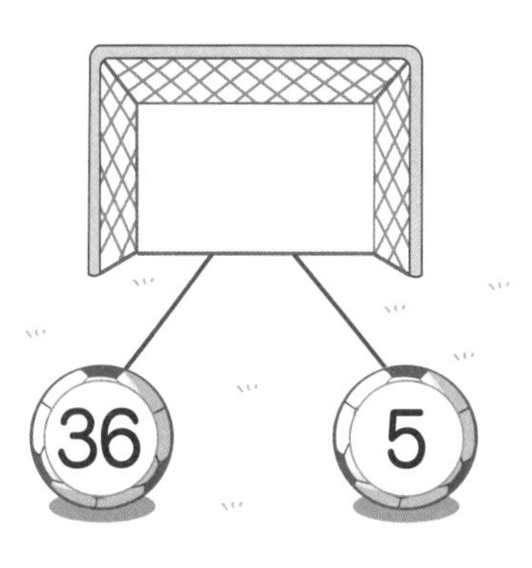

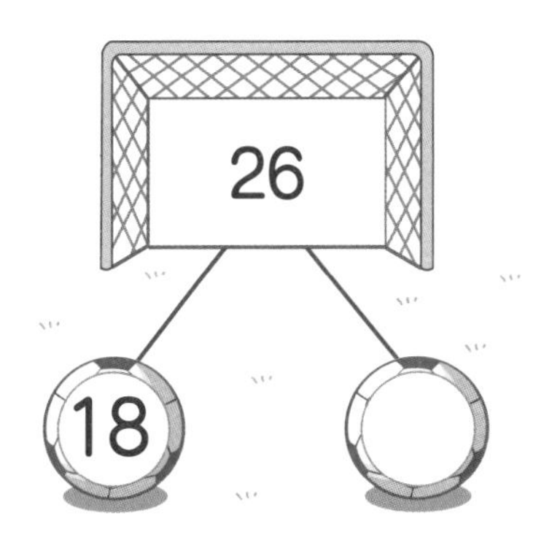

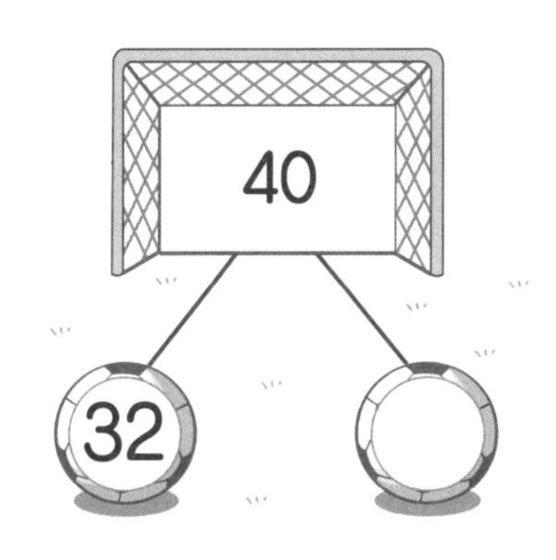

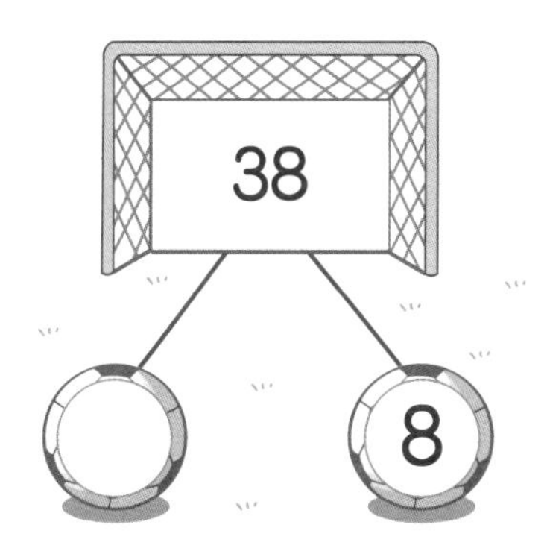

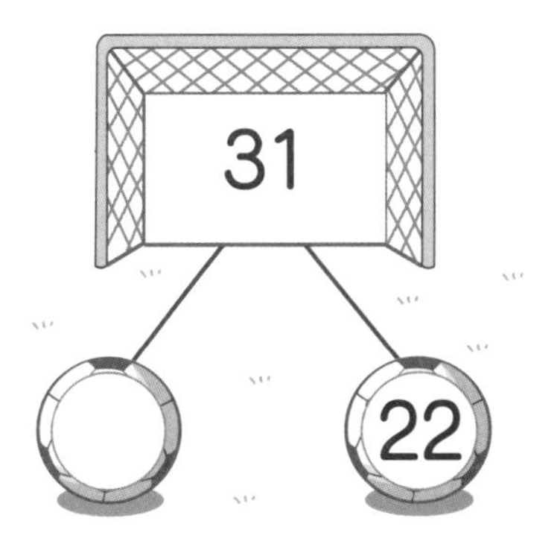

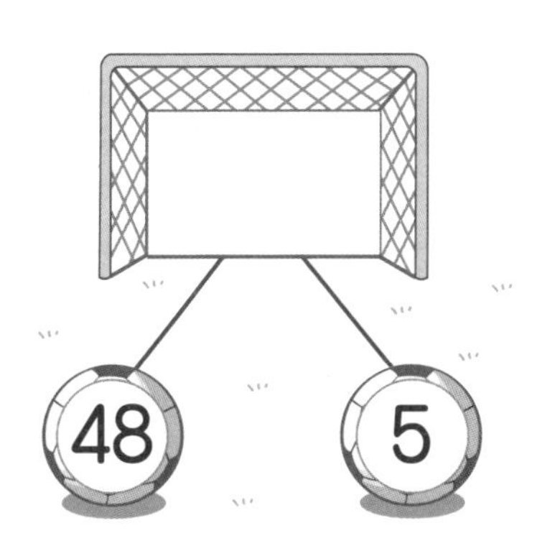

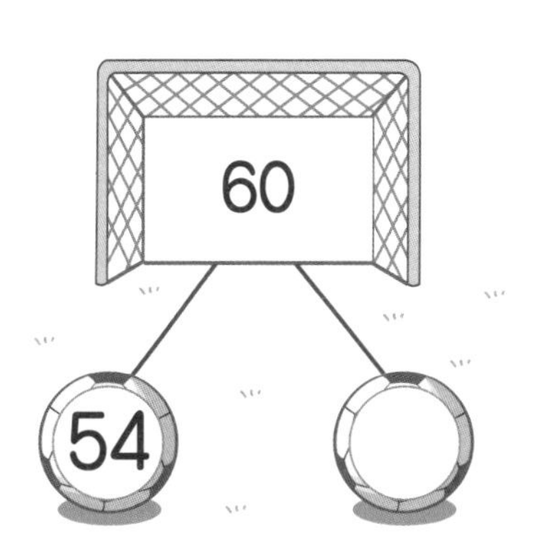

 규칙을 찾아 빈칸에 알맞은 수를 써넣으세요.

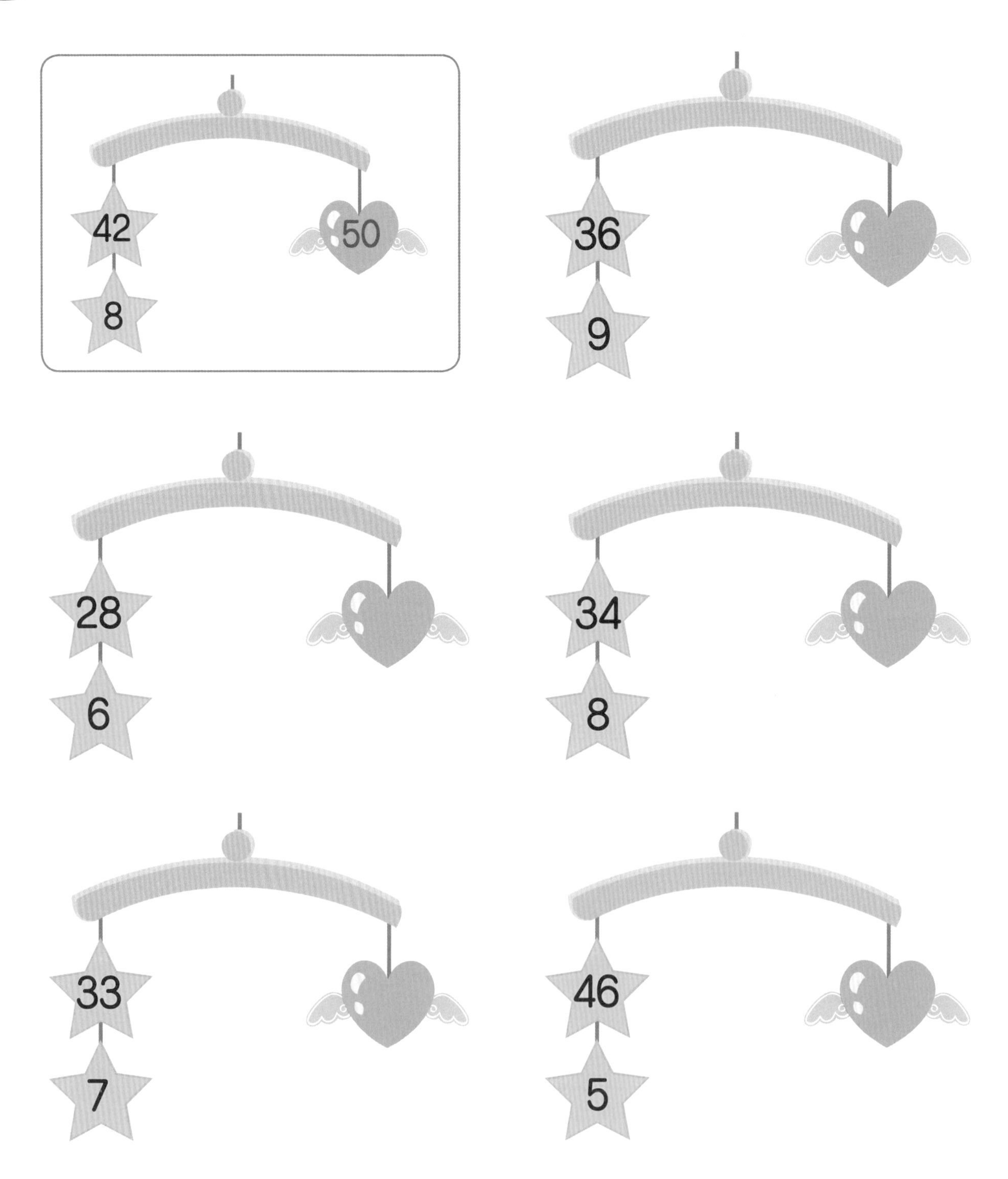

규칙을 찾아 빈칸에 알맞은 수를 써넣으세요.

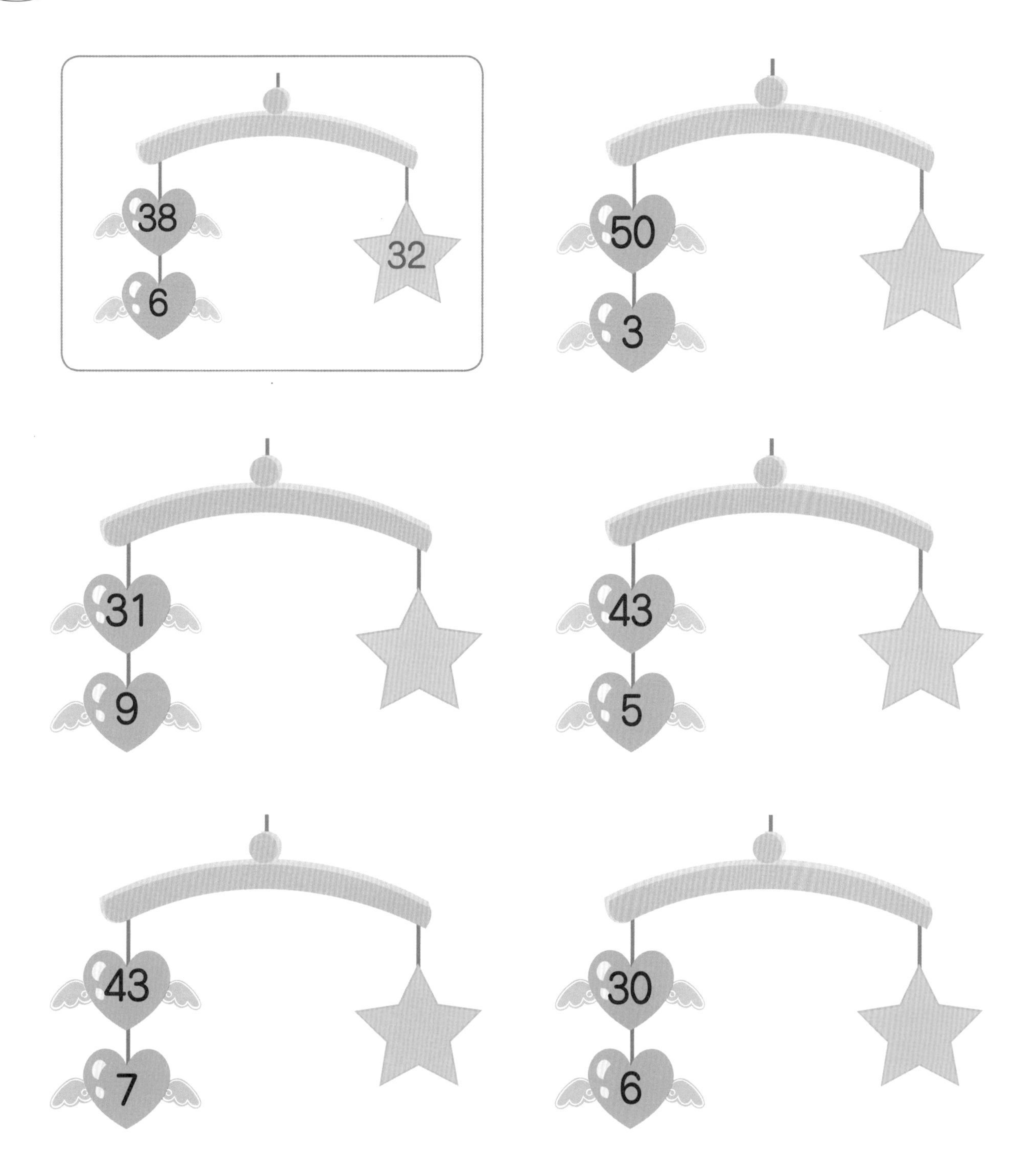

문장제

이야기를 읽고, 성주가 이번 달에 읽으려고 하는 책은 몇 권인지 구하세요.

책 읽기를 좋아하는 성주는 집 앞 도서관에 가는 것을 좋아합니다.
성주는 지난달에 동화책을 26권 읽었고, 이번 달에는 지난달보다 4권을 더 읽는 것이 목표입니다.
지금까지 매일 한 권씩 동화책을 읽고 있기 때문에 목표하는 만큼 책을 읽을 수 있을 것이라고 생각합니다.
성주가 이번 달에 읽으려고 하는 책은 몇 권일까요?

식 : $26 + 4 = 30$ 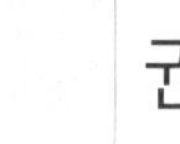  권

다음을 읽고 알맞은 식을 쓰고, 답을 구하세요.

진규는 어제 윗몸일으키기를 29번 했습니다. 오늘은 어제보다 5번 더 했다면 오늘 윗몸일으키기를 몇 번 했을까요?

식 : 번

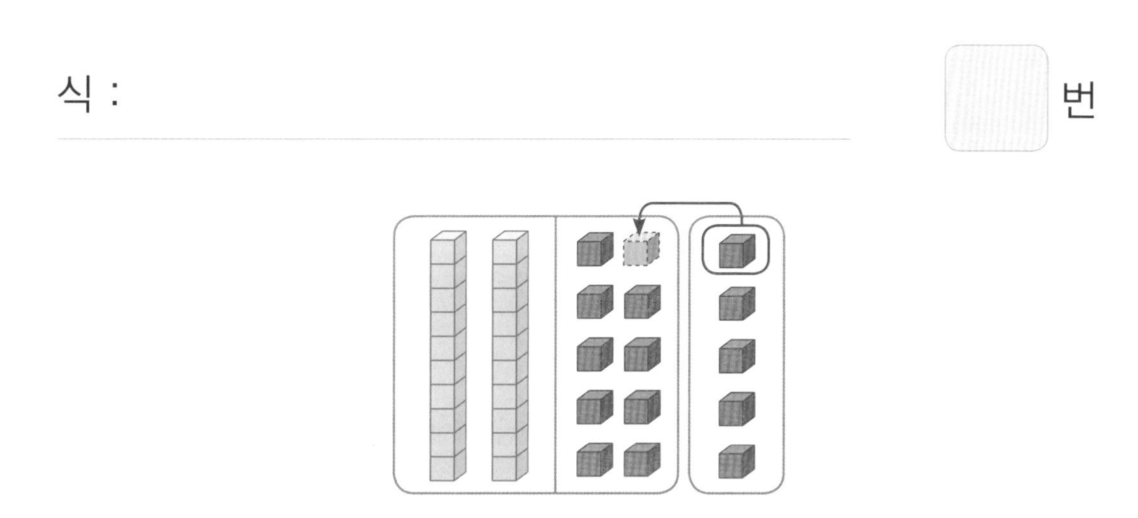

접시에 땅콩 33개가 있습니다. 배가 고픈 지수가 9개를 먹었다면 접시에 남은 땅콩은 몇 개일까요?

식 : 개

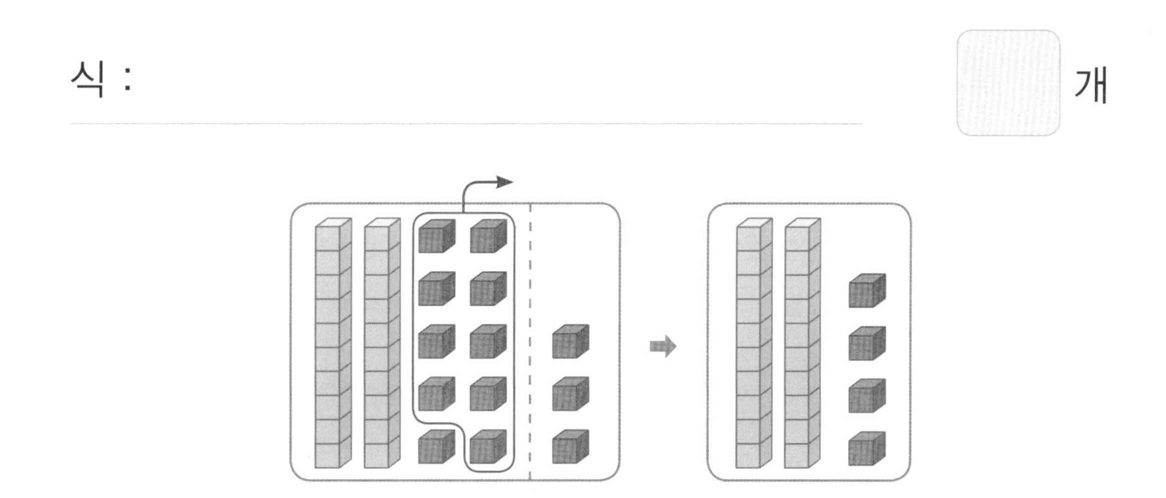

다음을 읽고 알맞은 식을 쓰고, 답을 구하세요.

하늘에 까치 32마리가 있습니다. 잠시 후 참새 9마리가 더 날아왔다면 하늘에 있는 까치와 참새는 모두 몇 마리일까요?

식 : 　　　　　　　　　　　　　　　　　　　　　　　　마리

영기는 53장의 우표를 모았습니다. 그 중 7장을 잃어버렸다면 영기가 가진 우표는 몇 장일까요?

식 : 　　　　　　　　　　　　　　　　　　　　　　　　장

경진이는 빨간색 색종이와 노란색 색종이를 모두 43장 가지고 있습니다. 그 중 빨간색 색종이 6장을 써 버렸다면 남은 색종이는 몇 장일까요?

식 : 　　　　　　　　　　　　　　　　　　　　　　　　장

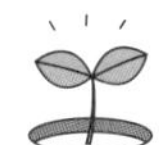 다음을 읽고 알맞은 식을 쓰고, 답을 구하세요.

버스에 사람이 29명 타고 있습니다. 다음 정류소에서 9명이 더 탔다면 버스에 타고 있는 사람은 모두 몇 명일까요?

식 :

명

개구리 52마리가 연못 안에 있습니다. 그 중 7마리가 연못 밖으로 나갔다면 연못 안에 남아있는 개구리는 몇 마리일까요?

식 :

마리

수희네 반 친구들이 공원으로 소풍을 가려고 합니다. 남학생은 33명이 가고, 여학생은 남학생보다 9명이 더 간다면 소풍을 가는 여학생은 모두 몇 명일까요?

식 :

명

Note

소마셈 A7 – 2주차

받아올림이 없는
두 자리 수의 덧셈

(몇십) + (몇십)

 그림을 보고 십의 자리 숫자끼리 더해서 덧셈을 해 보세요.

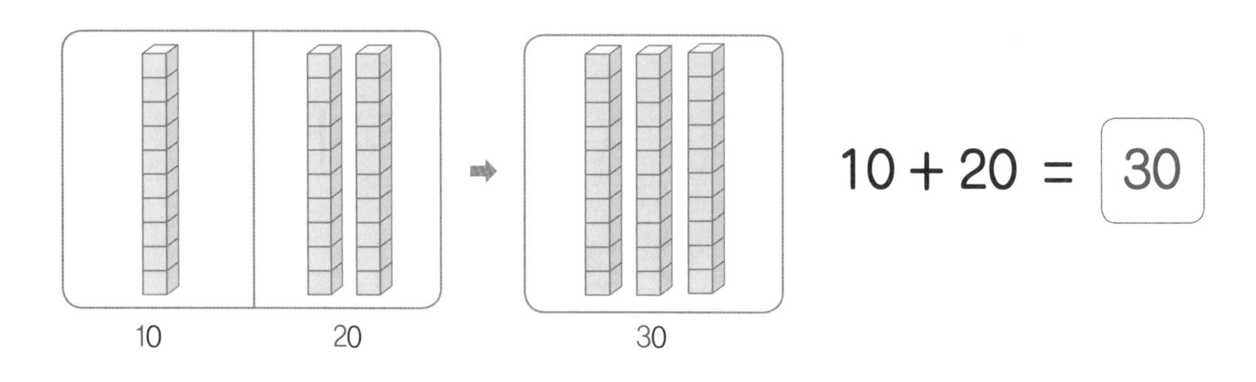

10 + 20 = 30

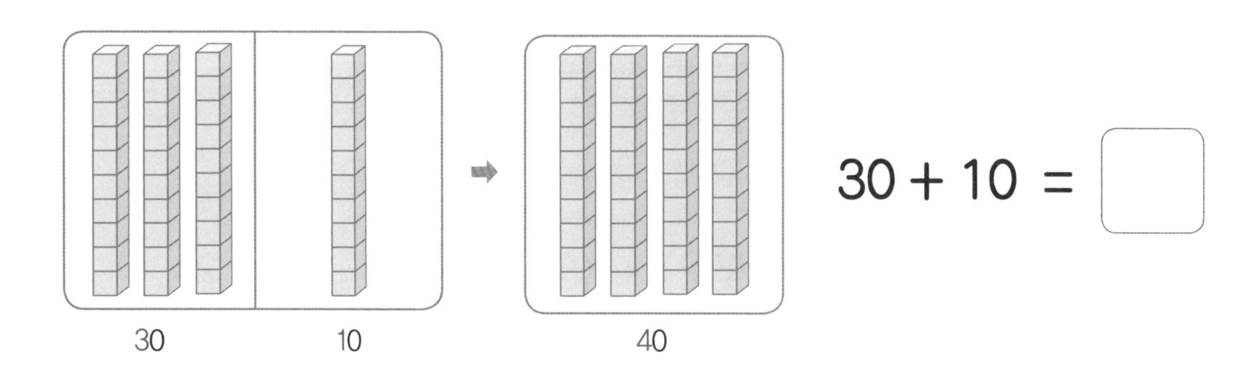

30 + 10 = ☐

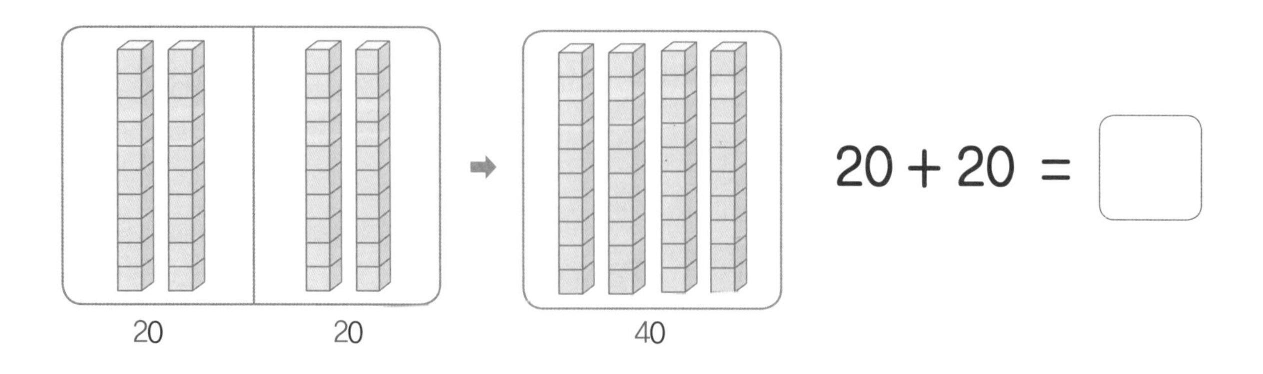

20 + 20 = ☐

□ 안에 알맞은 수를 써넣으세요.

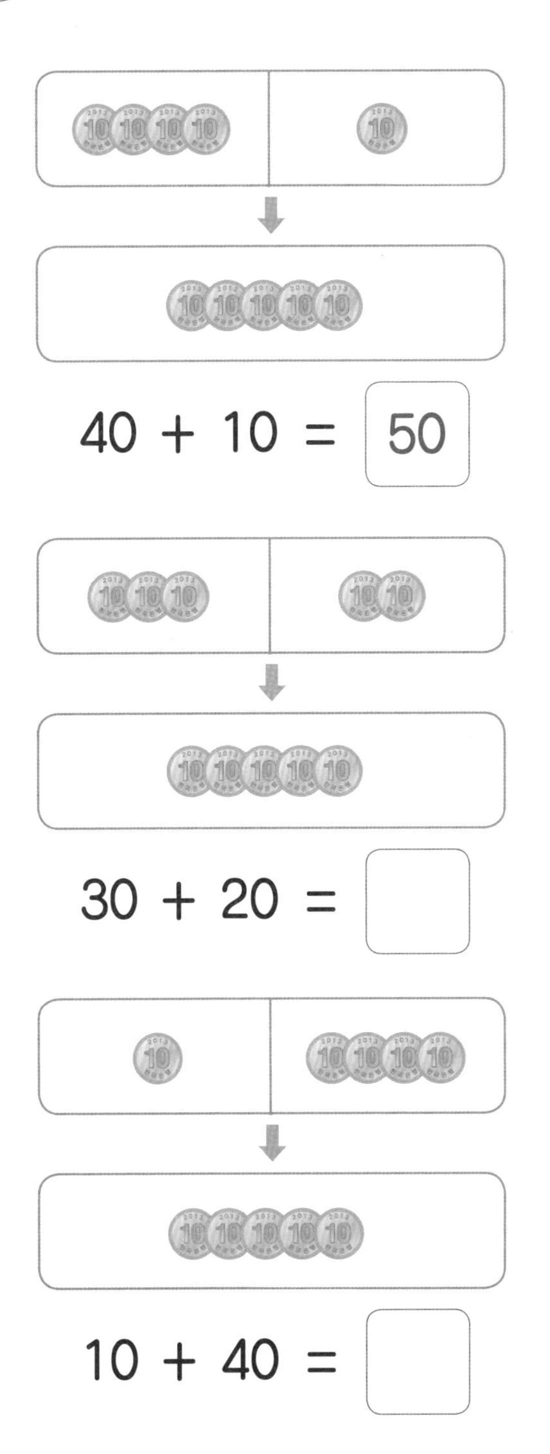

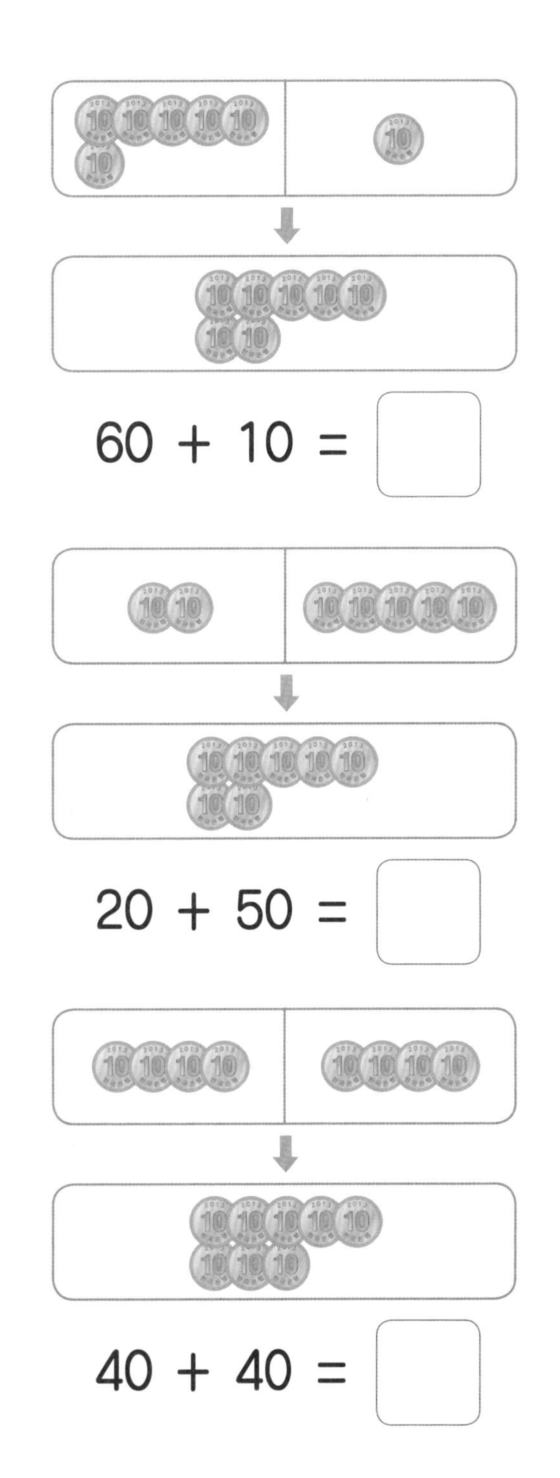

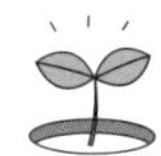

□ 안에 알맞은 수를 써넣으세요.

20 + 30 = 50

30 + 30 = □

40 + 20 = □

20 + 20 = □

50 + 10 = □

10 + 30 = □

60 + 20 = □

70 + 10 = □

70 + 20 = □

30 + 40 = □

20 + 50 = □

80 + 10 = □

2일차 (몇십 몇) + (몇십)

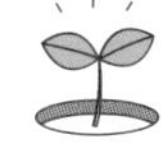

그림을 보고 각 자리의 숫자를 더해서 덧셈을 해 보세요.

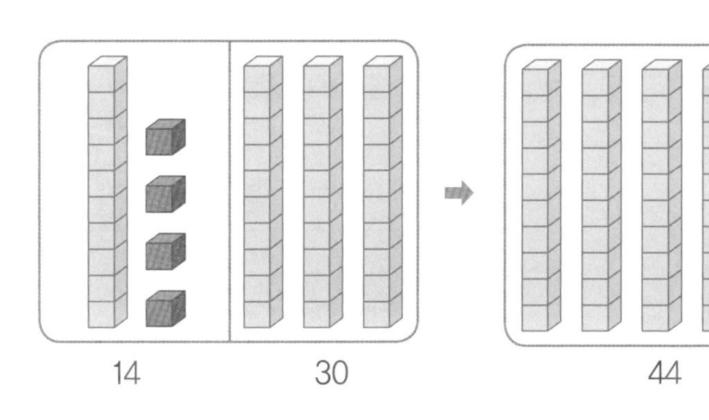

$14 + 30 = \boxed{44}$

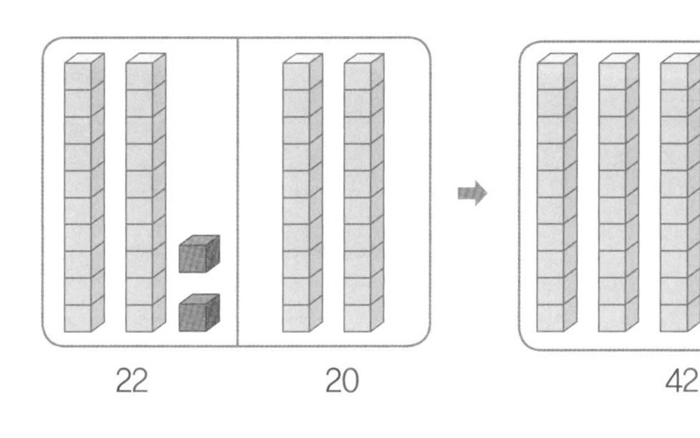

$22 + 20 = \square$

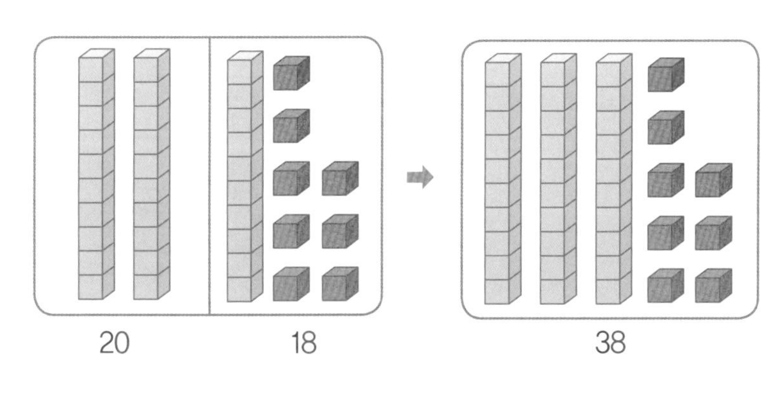

$20 + 18 = \square$

 □ 안에 알맞은 수를 써넣으세요.

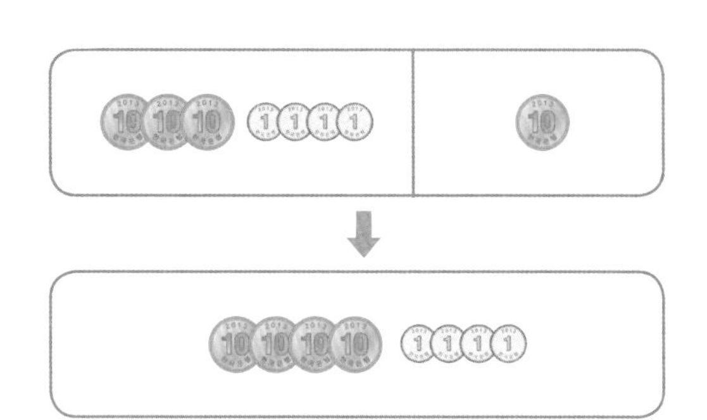

34 + 10 = 44

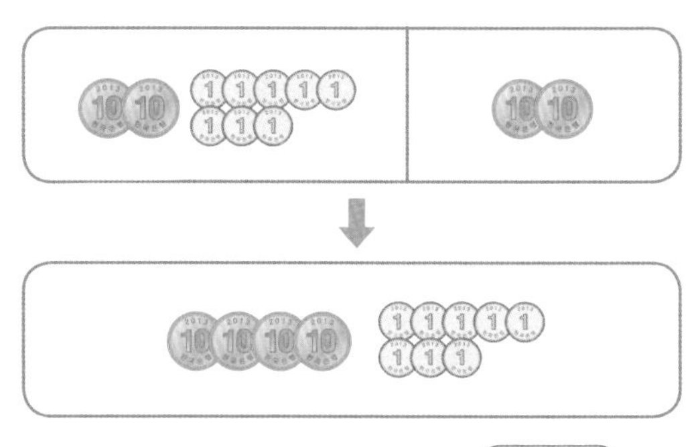

28 + 20 = □

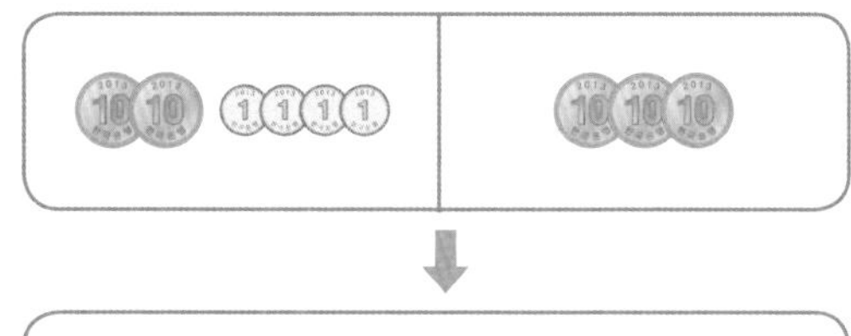

24 + 30 = □

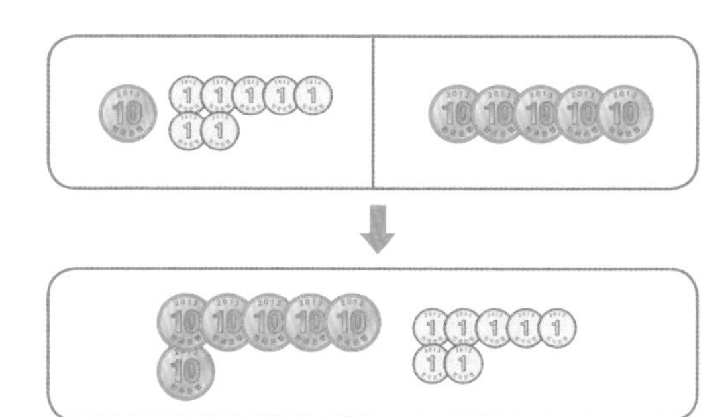

17 + 50 = □

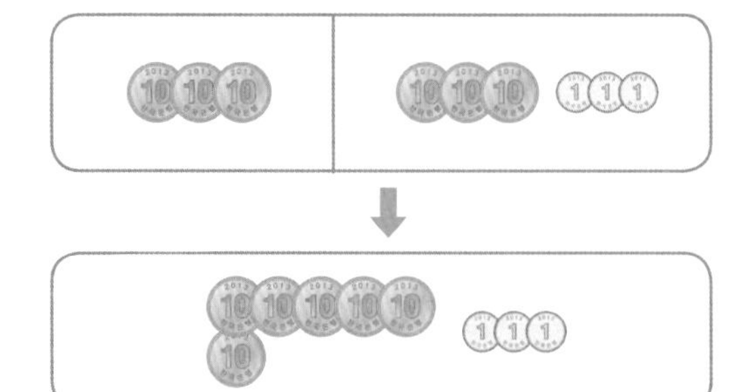

30 + 33 = □

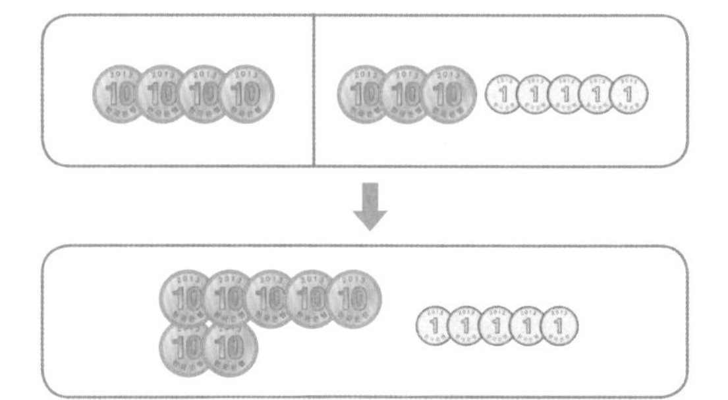

40 + 35 = □

 □ 안에 알맞은 수를 써넣으세요.

21 + 30 = 51

30 + 16 = □

34 + 20 = □

30 + 28 = □

17 + 10 = □

10 + 29 = □

47 + 20 = □

50 + 34 = □

65 + 20 = □

30 + 45 = □

24 + 50 = □

70 + 18 = □

(몇십 몇) + (몇십 몇)

 그림을 보고 각 자리의 숫자를 더해서 덧셈을 해 보세요.

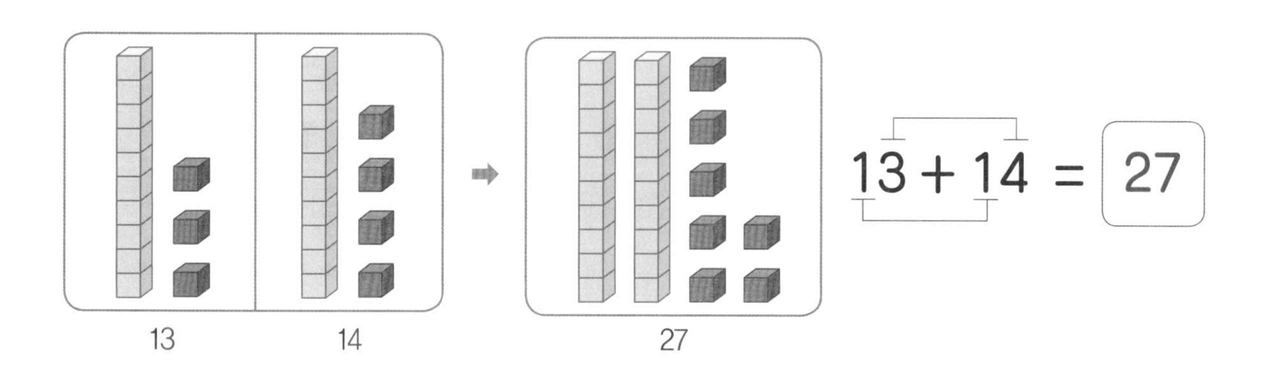

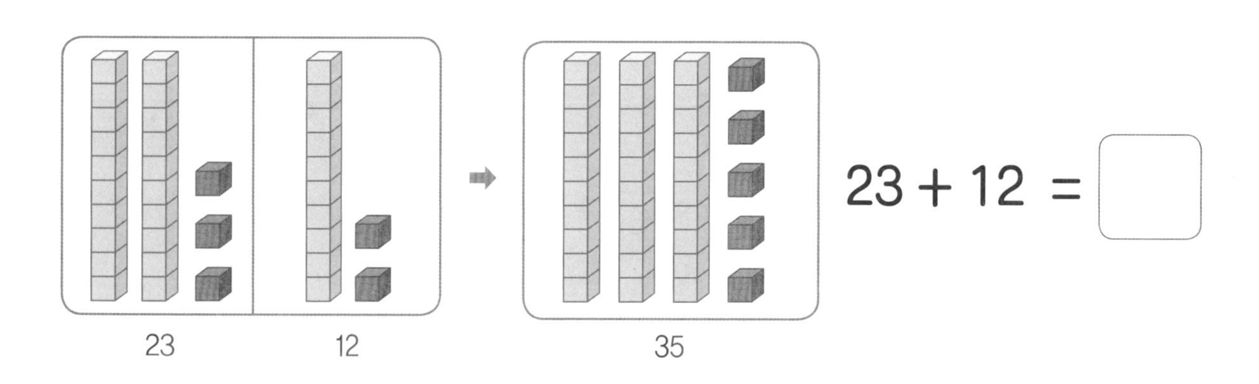

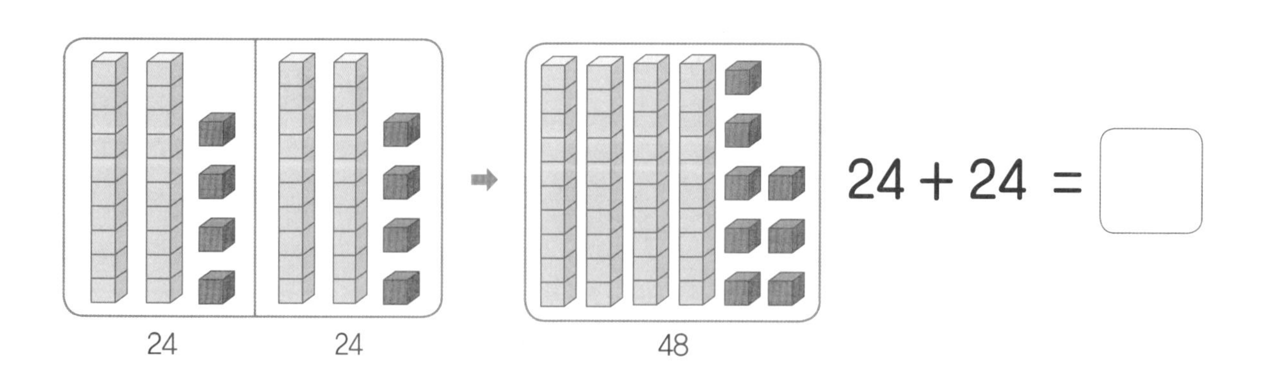

□ 안에 알맞은 수를 써넣으세요.

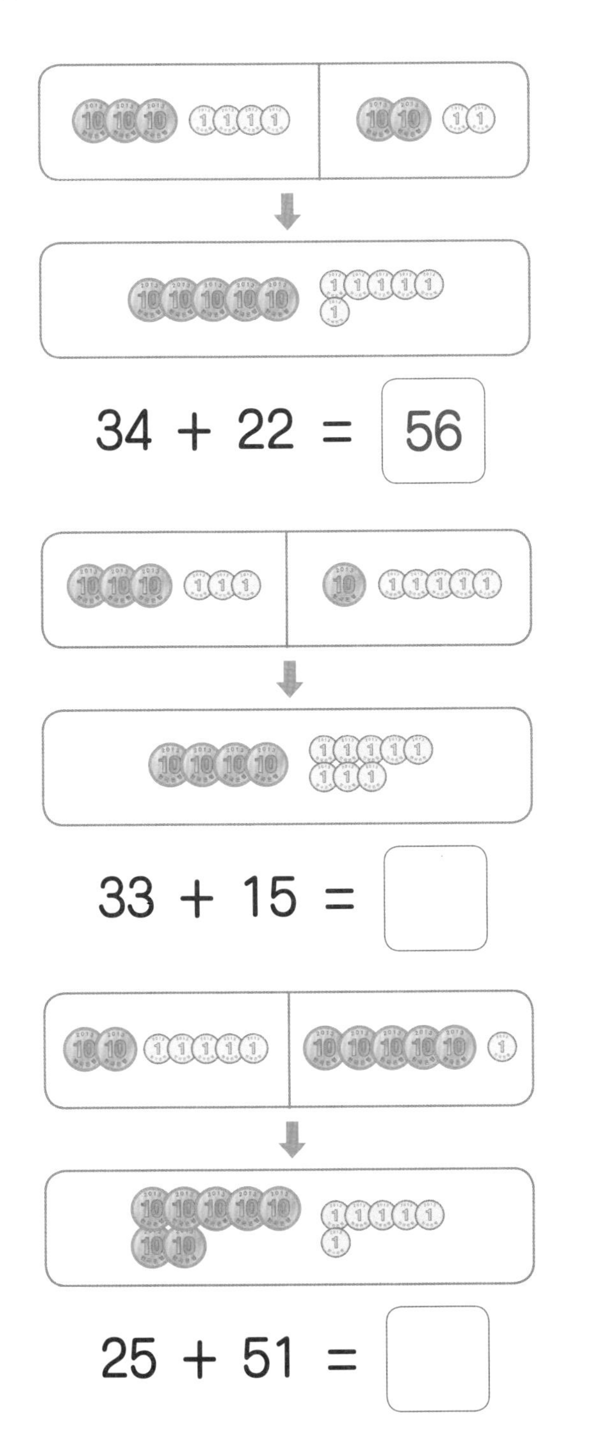

34 + 22 = 56

33 + 15 = □

25 + 51 = □

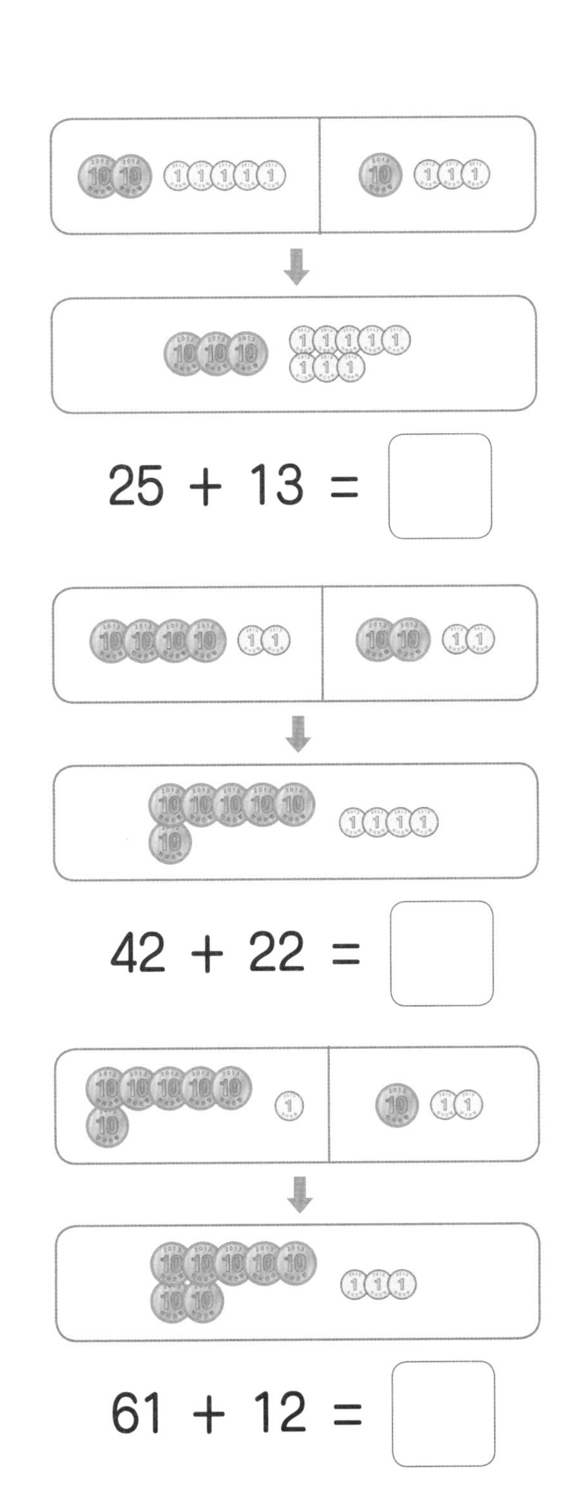

25 + 13 = □

42 + 22 = □

61 + 12 = □

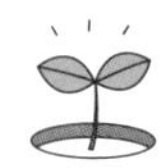
□ 안에 알맞은 수를 써넣으세요.

$25 + 21 = \boxed{46}$

$31 + 33 = \square$

$43 + 13 = \square$

$53 + 35 = \square$

$62 + 15 = \square$

$45 + 22 = \square$

$52 + 34 = \square$

$72 + 15 = \square$

$43 + 36 = \square$

$51 + 16 = \square$

$23 + 42 = \square$

$65 + 13 = \square$

덧셈 퍼즐

 빈칸에 알맞은 수를 써넣으세요.

40	+	13	=	
		+		
		60		
		=		
10	+		=	

20	+	35	=	
+				
40				
=				
	+	24	=	

70	+	10	=	
		+		
		37		
		=		
40	+		=	

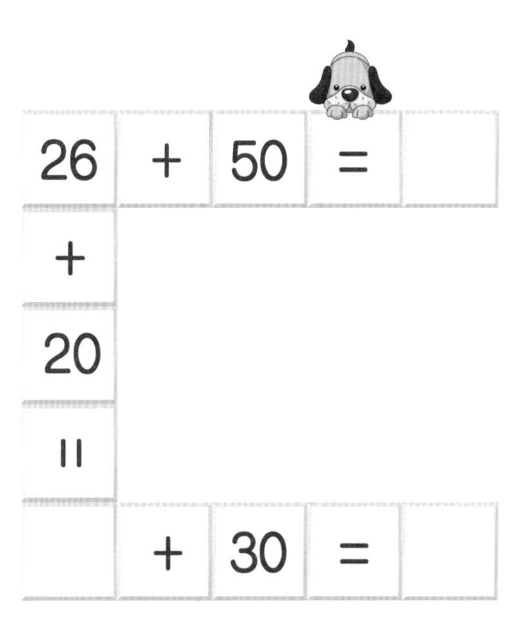

신나는 연산!

화살이 점수판에 맞은 자리를 보고 점수를 계산해 보세요.

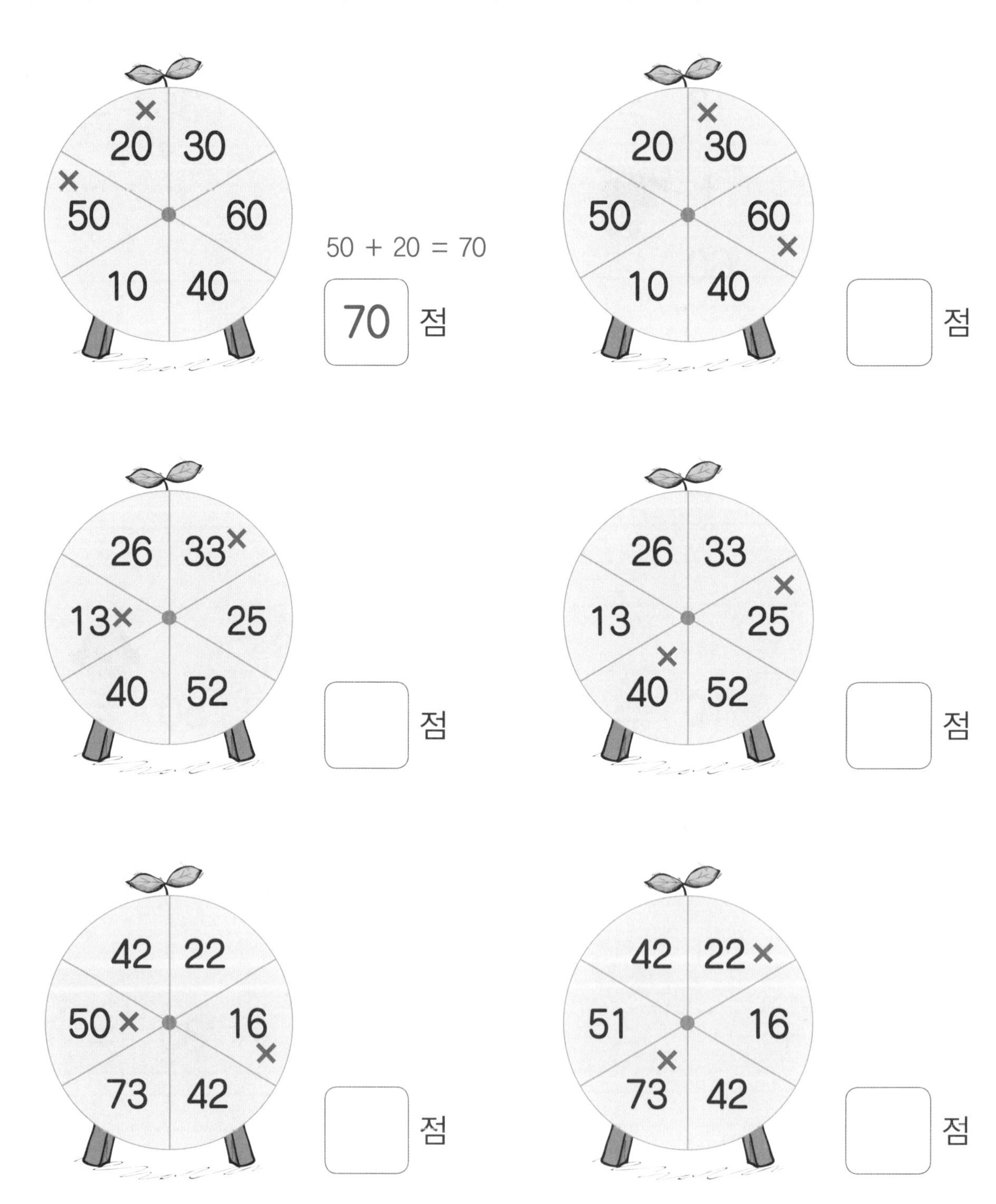

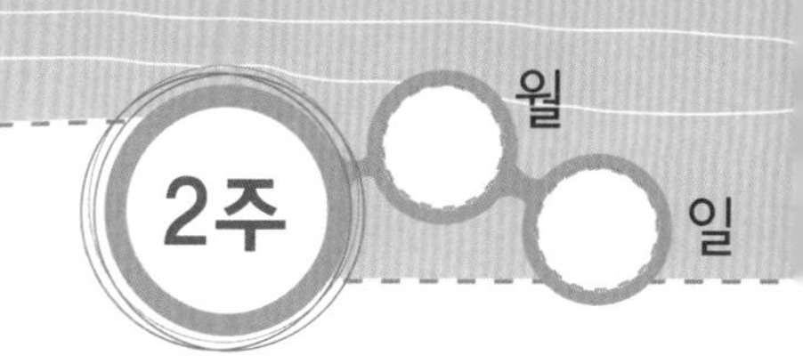

 올바른 계산 결과가 되도록 길을 그려 보세요.

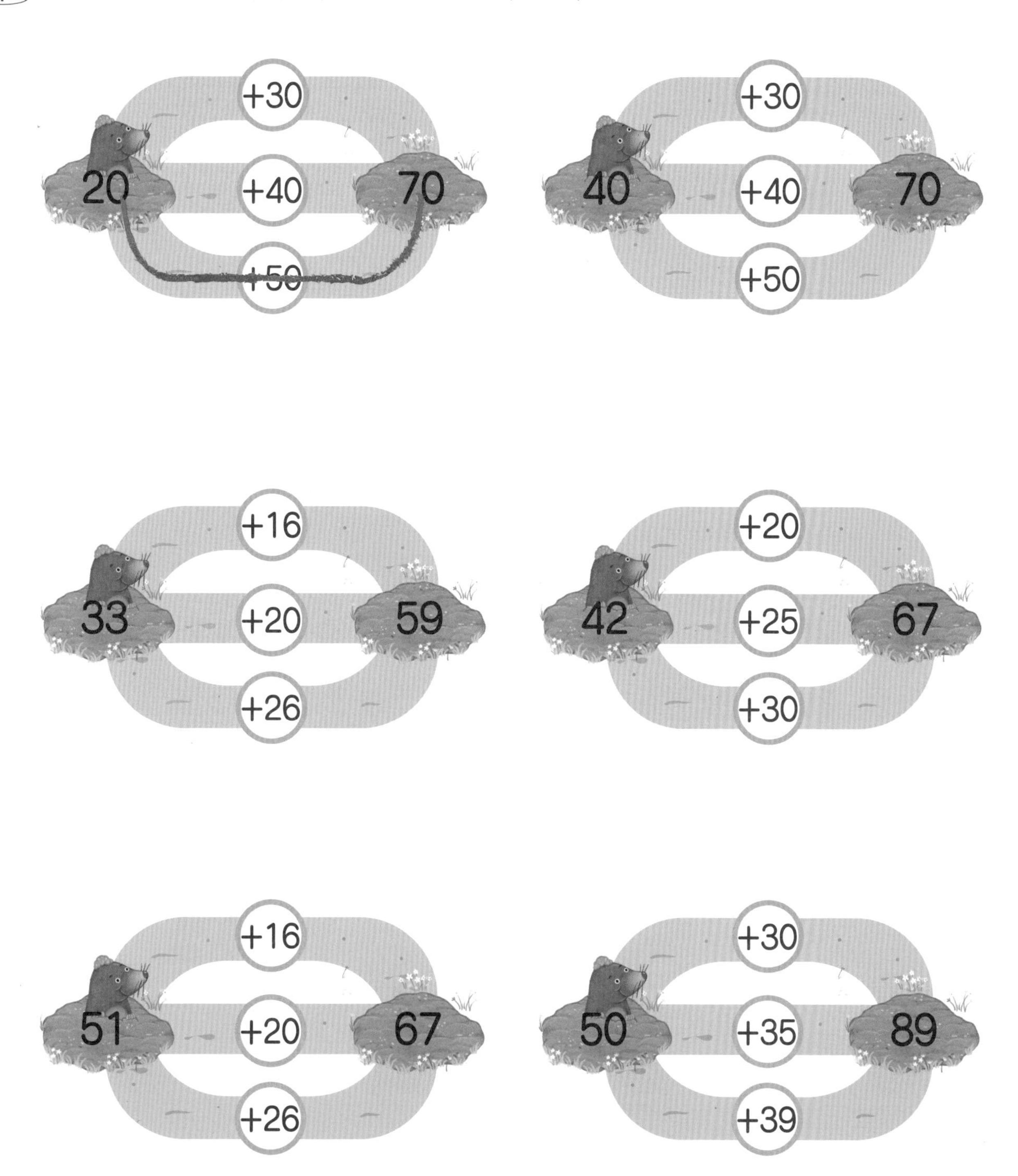

문장제

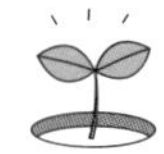
이야기를 읽고, 지운이가 줄넘기를 넘은 횟수를 구하세요.

준규는 체육 시간에 줄넘기를 했습니다. 준규는 지운이와 누가 줄넘기를 더 많이 넘는지 시합을 하기로 했습니다.
준규는 38번을 넘었고, 지운이는 준규보다 무려 20번을 더 넘었습니다.
준규는 다음번에는 꼭 이길 수 있도록 열심히 줄넘기 연습을 해야겠다고 다짐했습니다.
지운이는 줄넘기를 몇 번 넘었을까요?

식 :  번

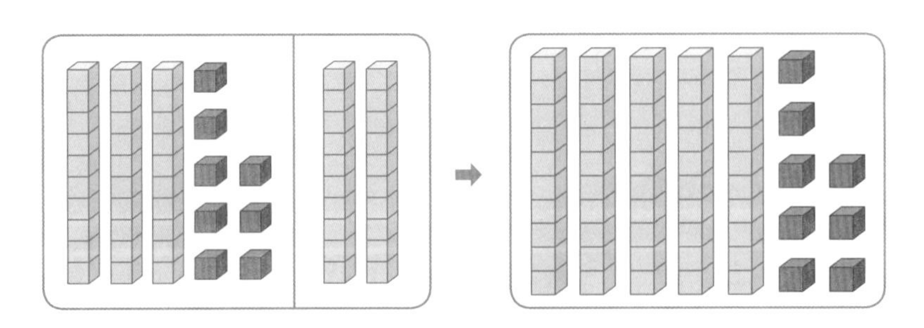

 다음을 읽고 알맞은 덧셈식을 쓰고, 답을 구하세요.

수영이네 농장에서는 오리와 닭을 키웁니다. 오리는 20마리가 있고, 닭은 40마리가 있습니다. 농장에 있는 오리와 닭은 모두 몇 마리일까요?

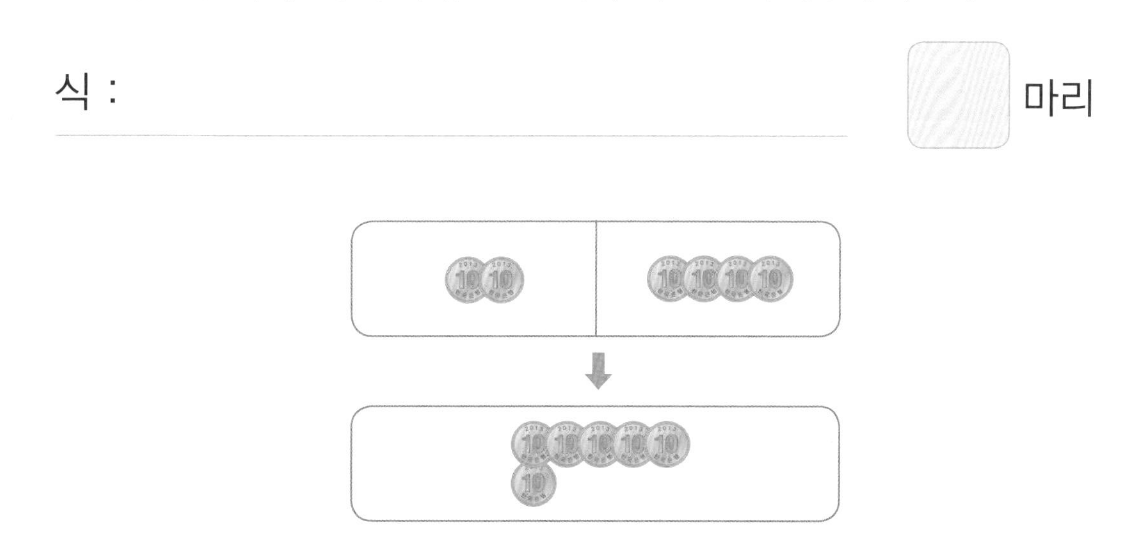

책꽂이에 동화책 23권과 위인전 26권이 꽂혀 있습니다. 책꽂이에 꽂혀 있는 동화책과 위인전은 모두 몇 권일까요?

식 :

권

다음을 읽고 알맞은 덧셈식을 쓰고, 답을 구하세요.

우성이는 공책을 34권 가지고 있습니다. 생일 선물로 공책을 24권 더 받았다면 공책은 모두 몇 권일까요?

식 :

권

선규는 어제 줄넘기를 40번 넘었고, 오늘은 32번 넘었습니다. 어제와 오늘 선규가 넘은 줄넘기 횟수는 모두 몇 번일까요?

식 :

번

운동장에 남학생이 70명, 여학생이 20명 있습니다. 운동장에 있는 학생은 모두 몇 명일까요?

식 :

명

 다음을 읽고 알맞은 덧셈식을 쓰고, 답을 구하세요.

승주의 엄마는 41살입니다. 아빠는 엄마보다 10살이 더 많습니다. 승주의 아빠는 몇 살일까요?

식 : ____________________ ☐ 살

흰색 바둑돌 33개가 있습니다. 검은색 바둑돌은 흰색 바둑돌보다 12개가 더 많습니다. 검은색 바둑돌은 몇 개일까요?

식 : ____________________ ☐ 개

과수원에 사과나무 24그루와 배나무 52그루가 있습니다. 과수원에 있는 사과나무와 배나무는 모두 몇 그루일까요?

식 : ____________________ ☐ 그루

Note

소마셈 A7 – 3주차

받아내림이 없는 두 자리 수의 뺄셈

(몇십) – (몇십)

 그림을 보고 십의 자리 숫자끼리 빼서 뺄셈을 해 보세요.

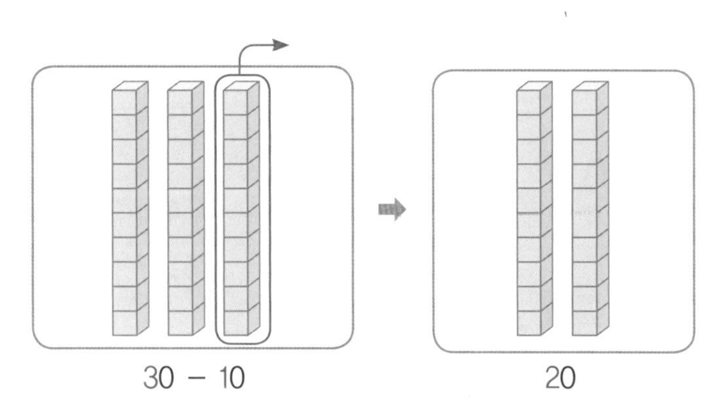

30 – 10 = 20

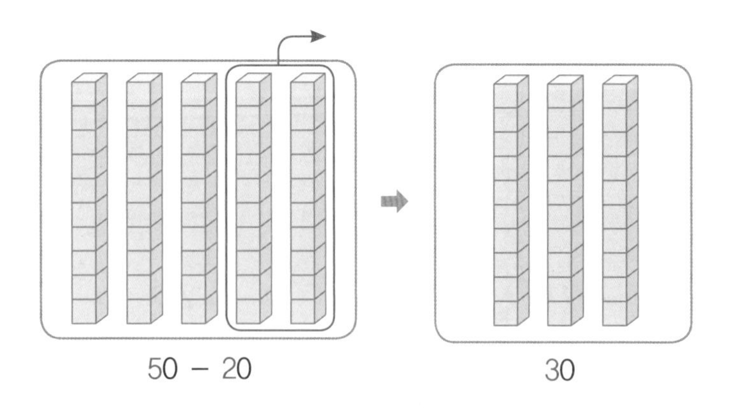

50 – 20 = ☐

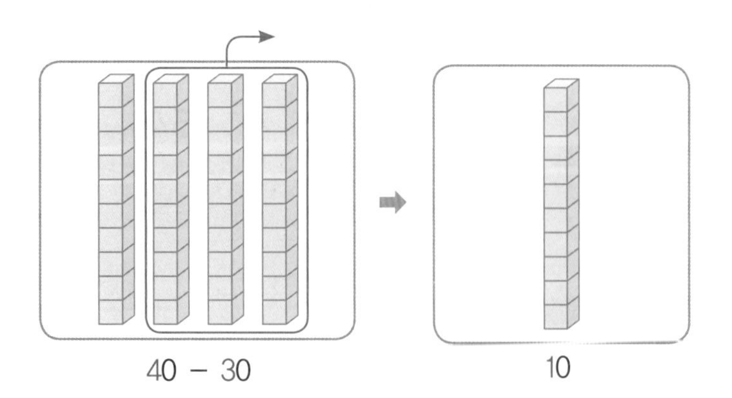

40 – 30 = ☐

□ 안에 알맞은 수를 써넣으세요.

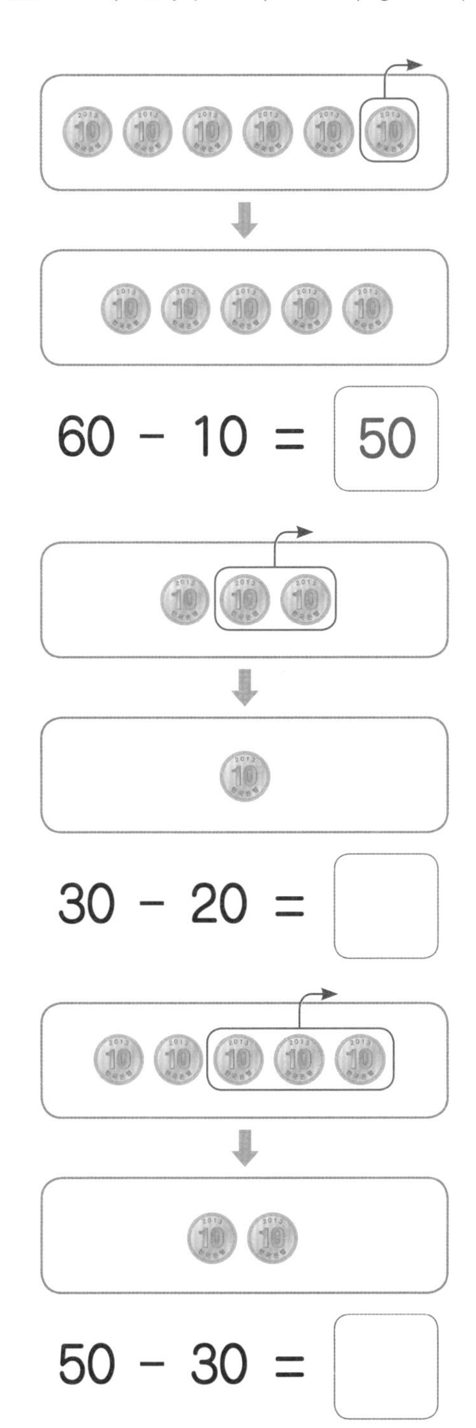

60 - 10 = 50

30 - 20 = □

50 - 30 = □

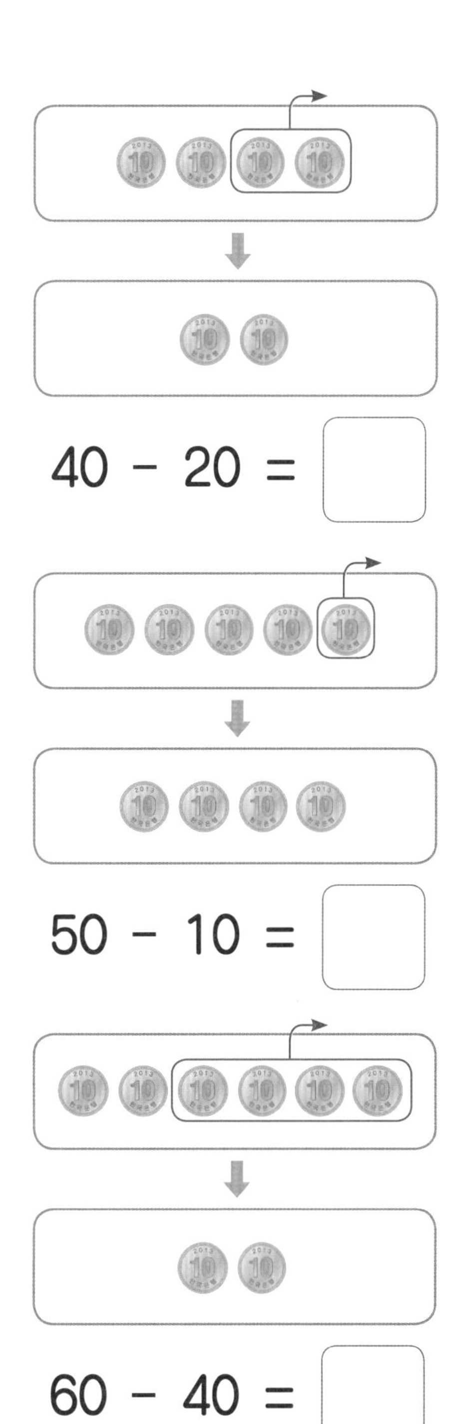

40 - 20 = □

50 - 10 = □

60 - 40 = □

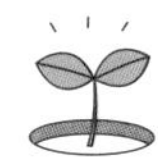
□ 안에 알맞은 수를 써넣으세요.

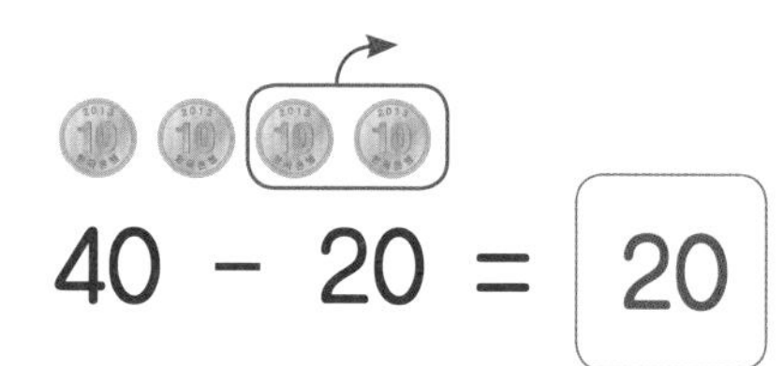

40 - 20 = 20

30 - 10 = □

50 - 40 = □

60 - 20 = □

70 - 60 = □

70 - 40 = □

30 - 10 = □

70 - 20 = □

40 - 30 = □

80 - 50 = □

60 - 30 = □

80 - 20 = □

(몇십 몇) – (몇십)

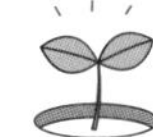 그림을 보고 각 자리의 숫자를 빼서 뺄셈을 해 보세요.

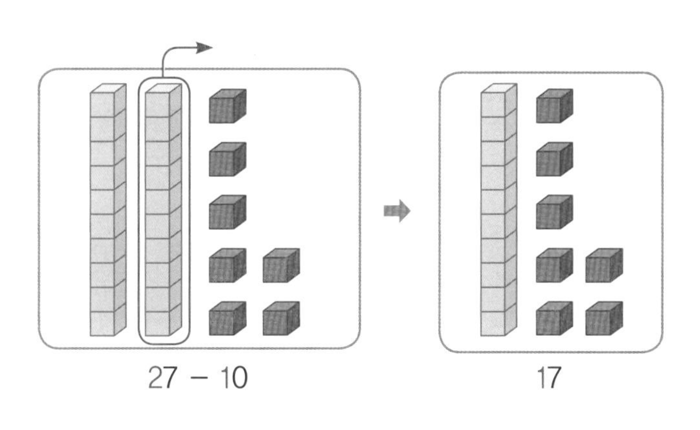

27 – 10 = 17

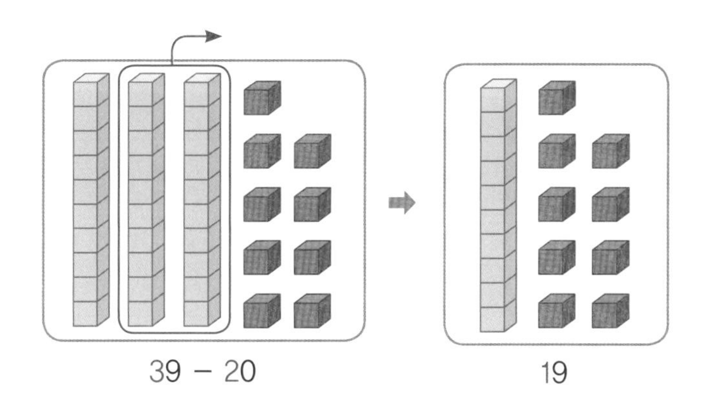

39 – 20 = ☐

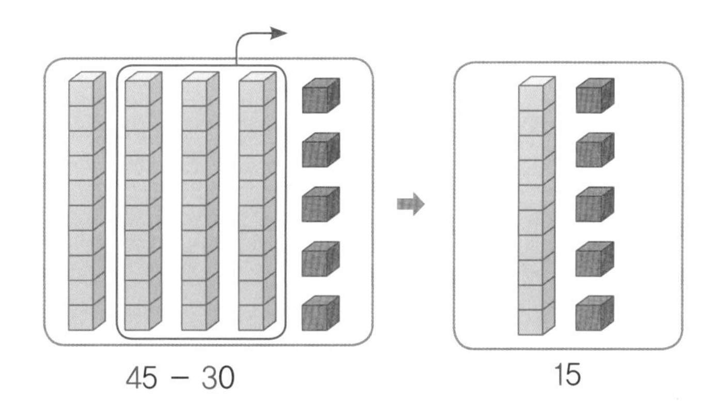

45 – 30 = ☐

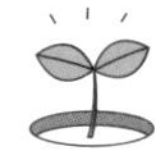 □ 안에 알맞은 수를 써넣으세요.

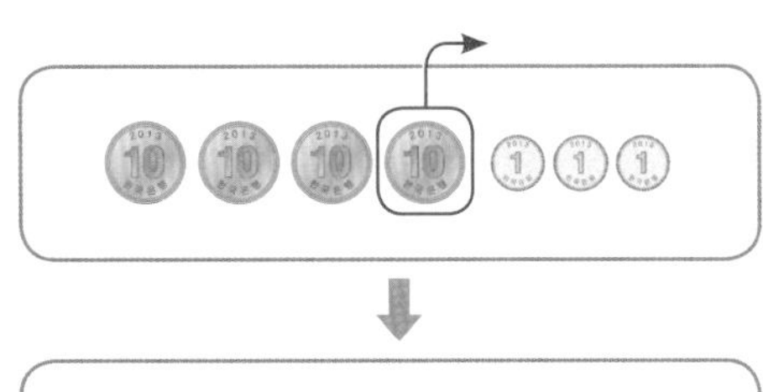

43 - 10 = 33

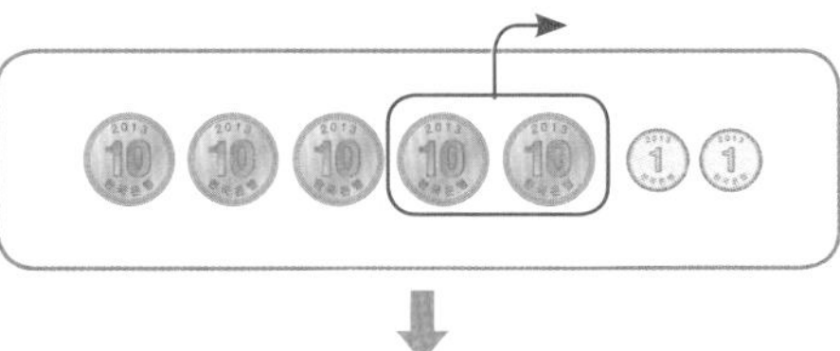

52 - 20 = □

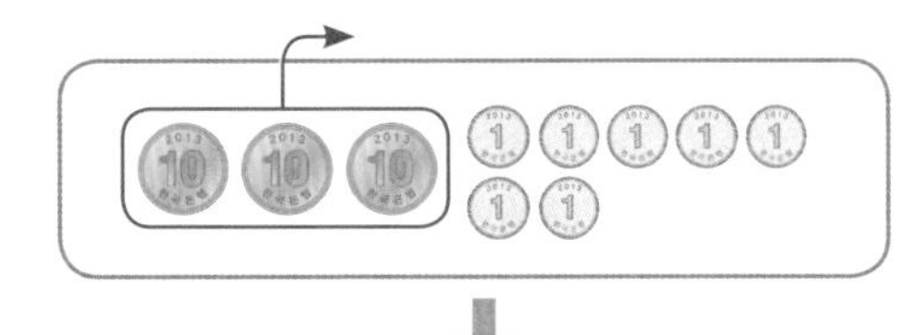

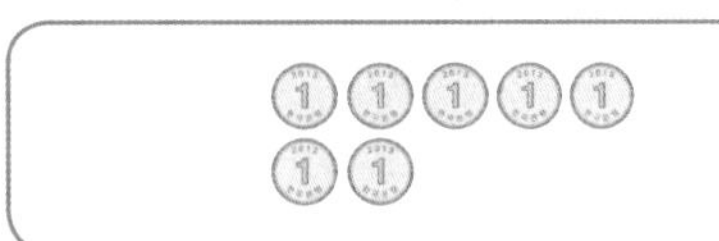

37 - 30 = □

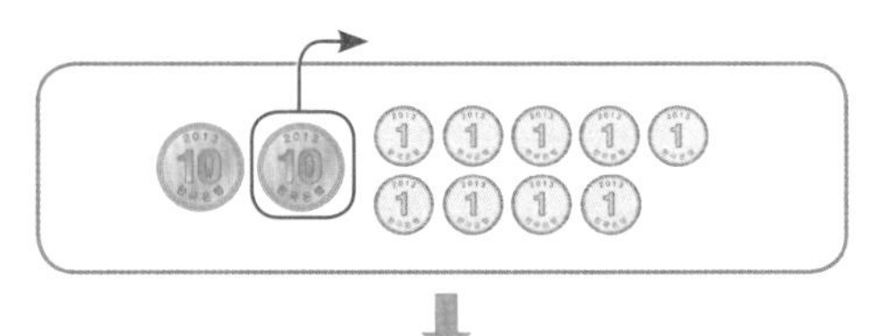

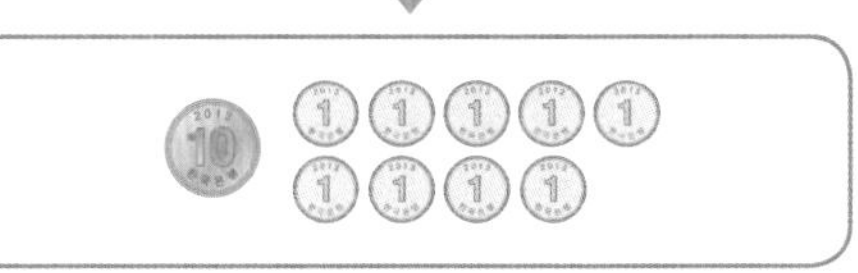

29 - 10 = □

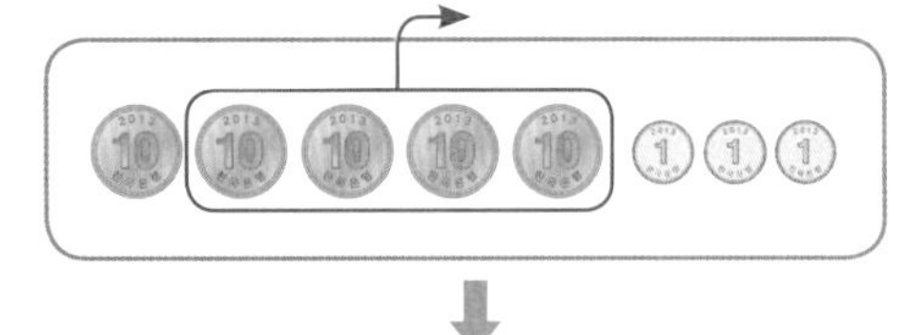

53 - 40 = □

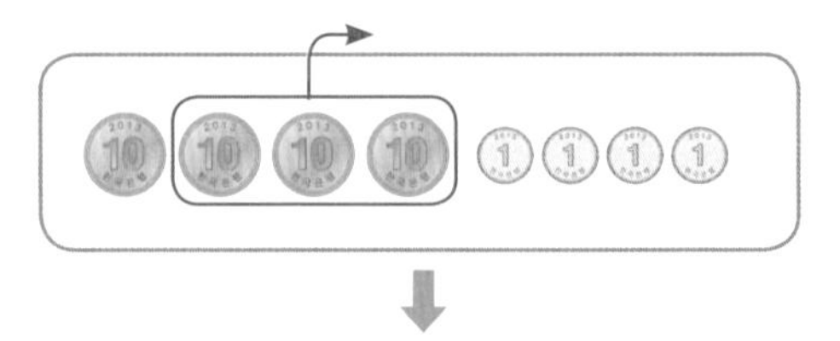

44 - 30 = □

 □ 안에 알맞은 수를 써넣으세요.

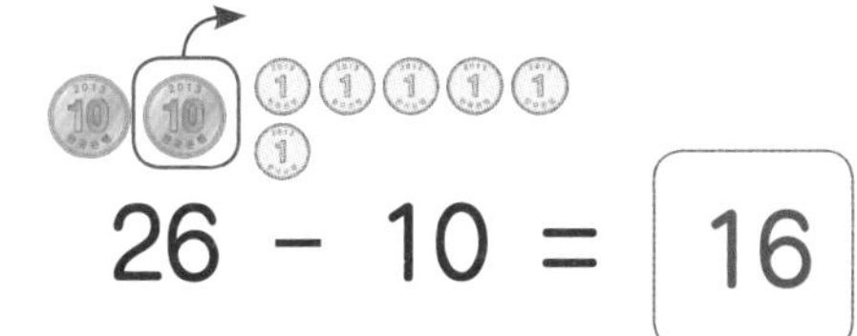

26 - 10 = 16

34 - 20 = □

48 - 10 = □

48 - 40 = □

55 - 30 = □

51 - 20 = □

28 - 20 = □

73 - 40 = □

64 - 40 = □

45 - 30 = □

57 - 50 = □

66 - 40 = □

(몇십 몇) − (몇십 몇)

 그림을 보고 각 자리의 숫자를 빼서 뺄셈을 해 보세요.

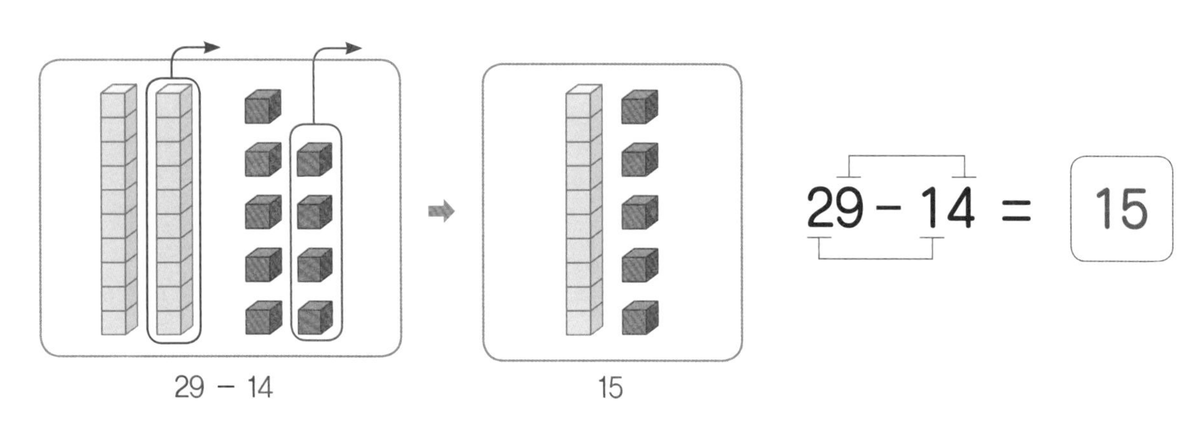

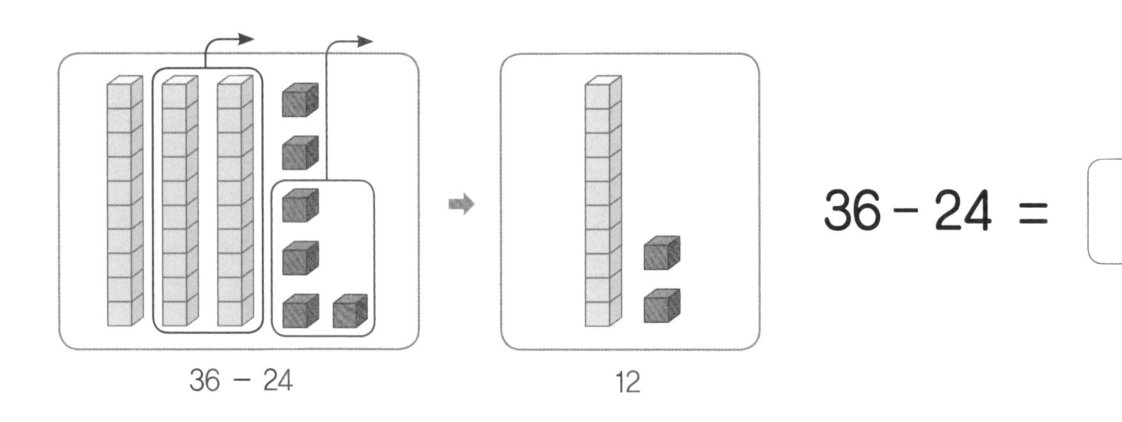

36 − 24 = ☐

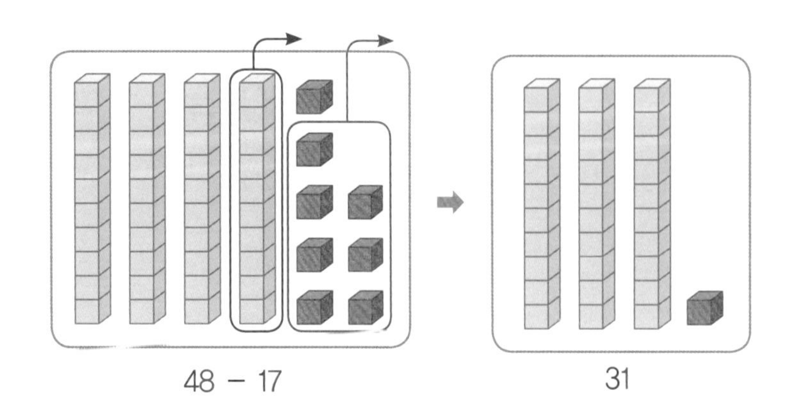

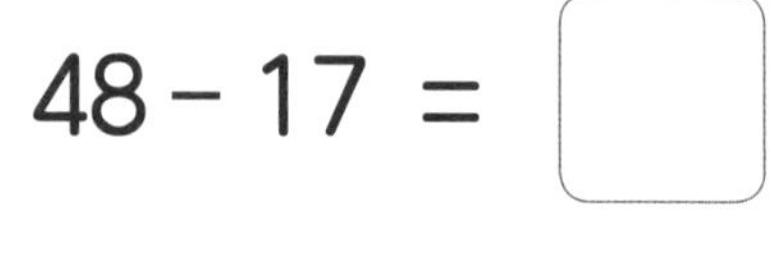

 □ 안에 알맞은 수를 써넣으세요.

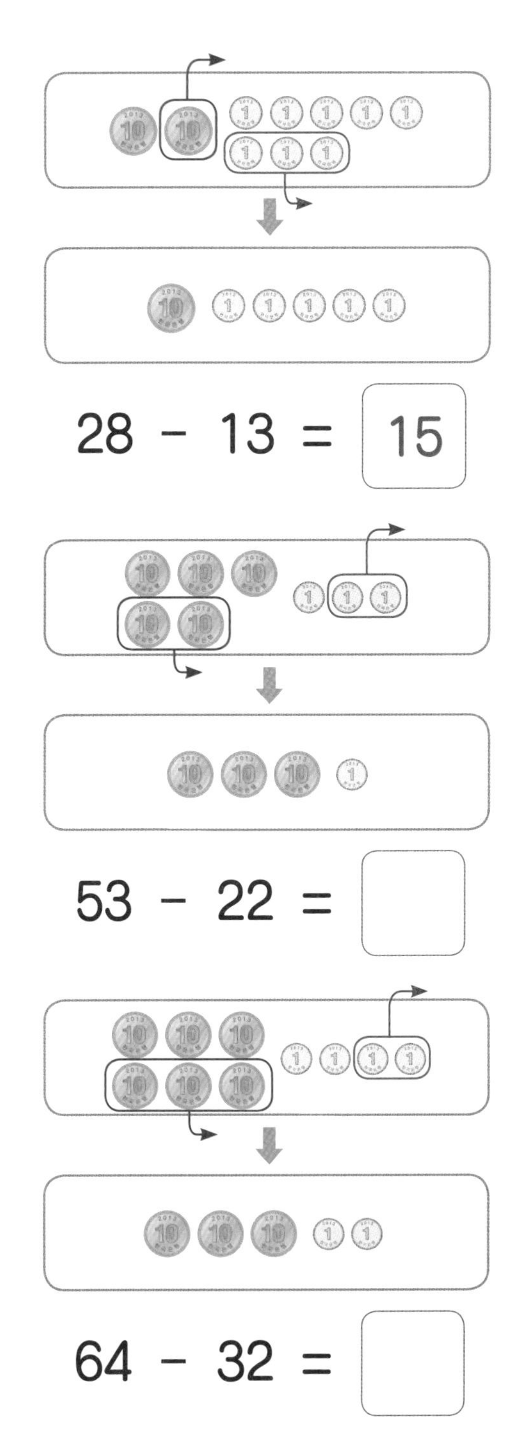

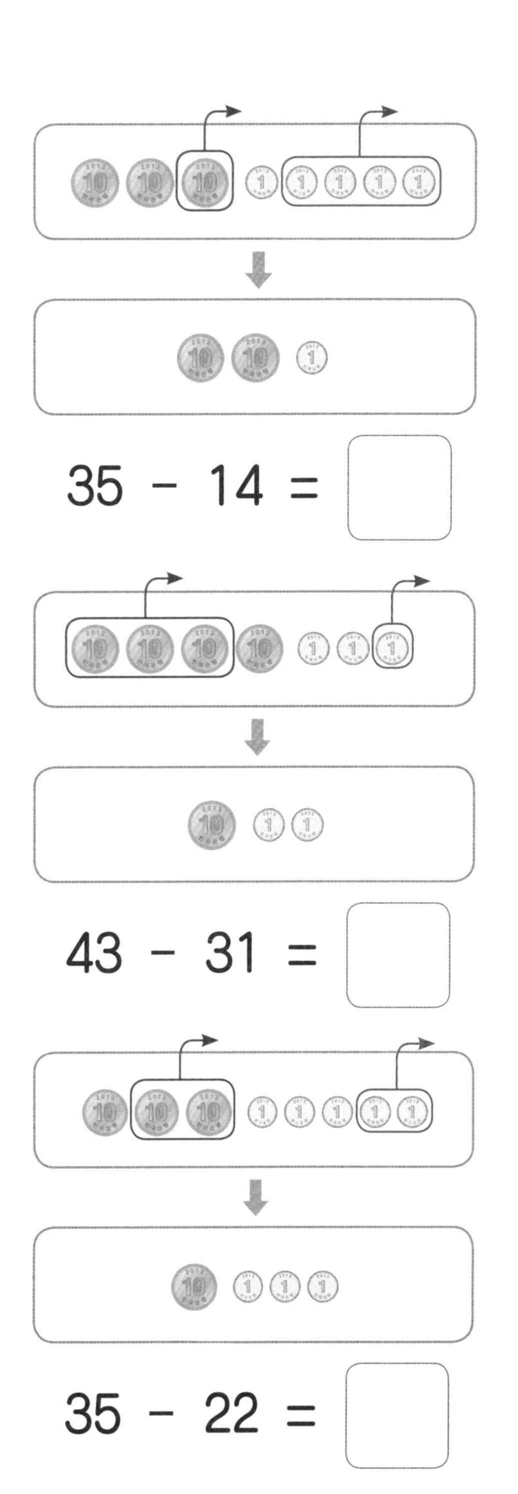

 □ 안에 알맞은 수를 써넣으세요.

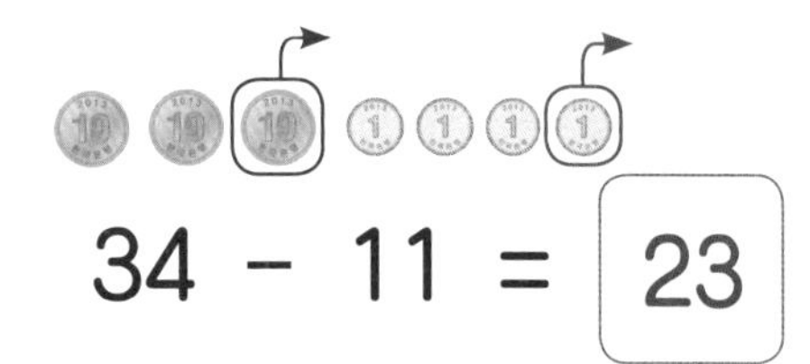

$34 - 11 = \boxed{23}$

$25 - 13 = \square$

$38 - 16 = \square$

$48 - 35 = \square$

$57 - 34 = \square$

$59 - 22 = \square$

$46 - 24 = \square$

$63 - 31 = \square$

$78 - 33 = \square$

$86 - 43 = \square$

$58 - 45 = \square$

$67 - 54 = \square$

뺄셈 퍼즐

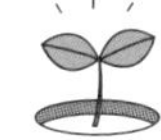
□ 안에 알맞은 수를 써넣으세요.

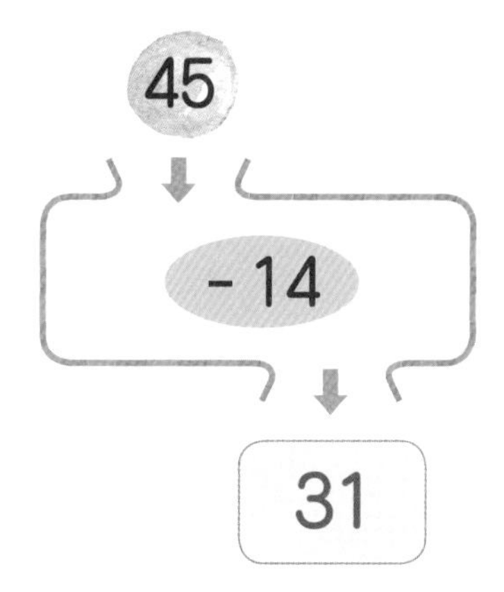

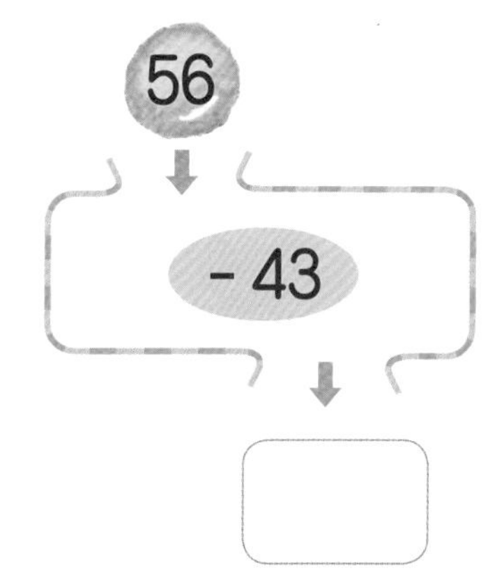

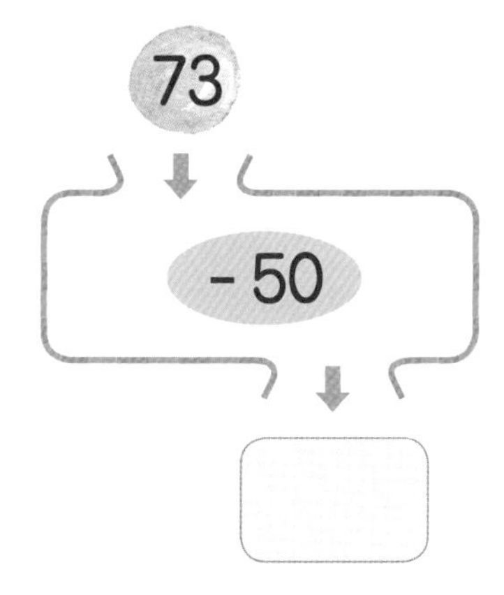

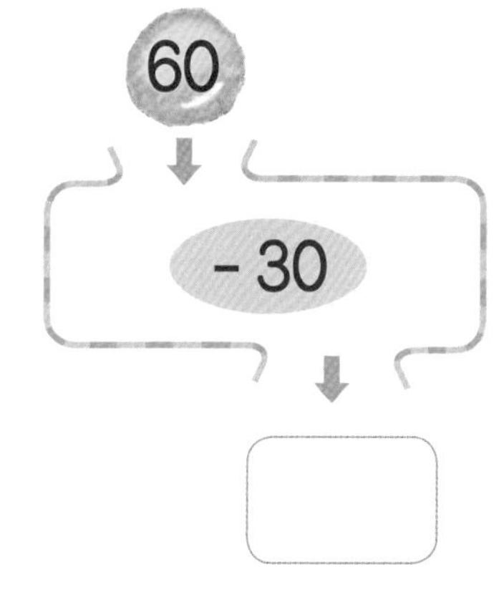

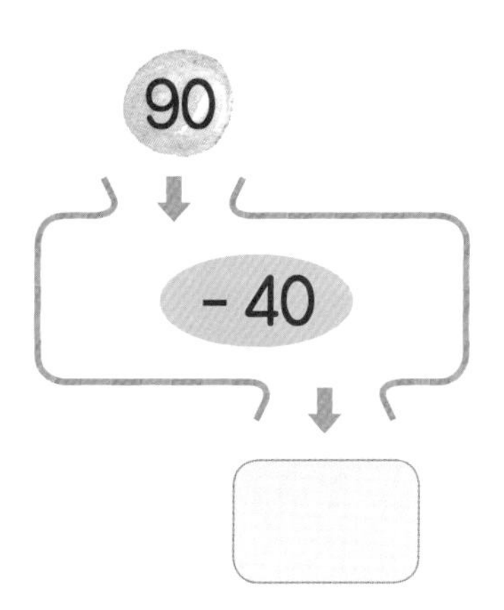

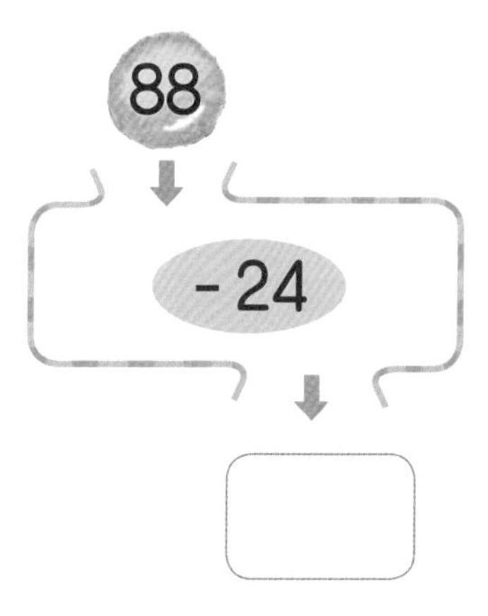

올바른 계산 결과가 되도록 길을 그려 보세요.

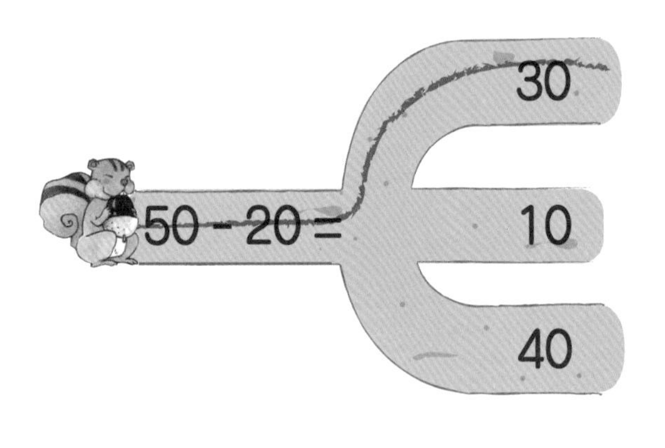

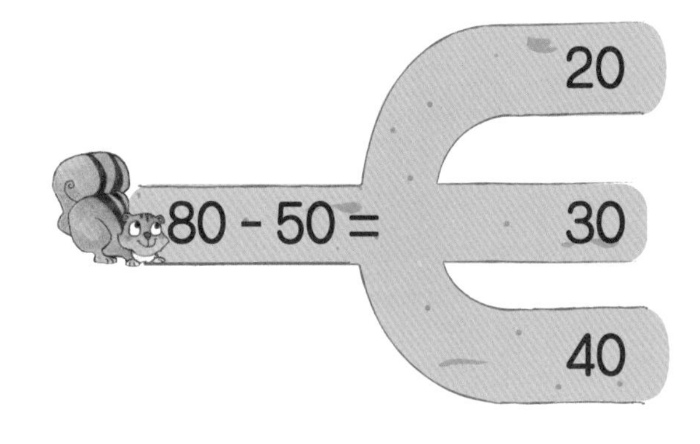

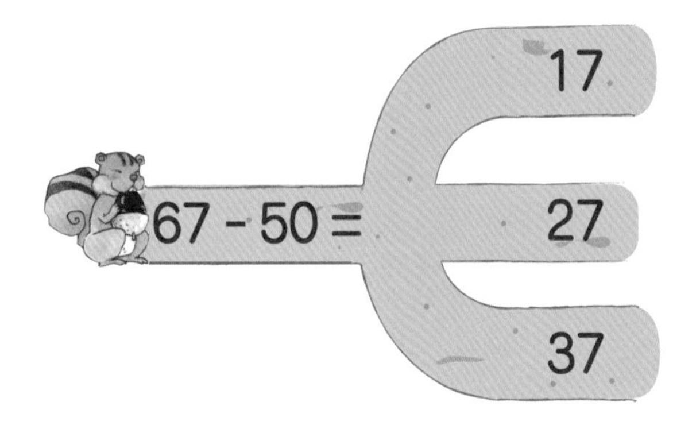

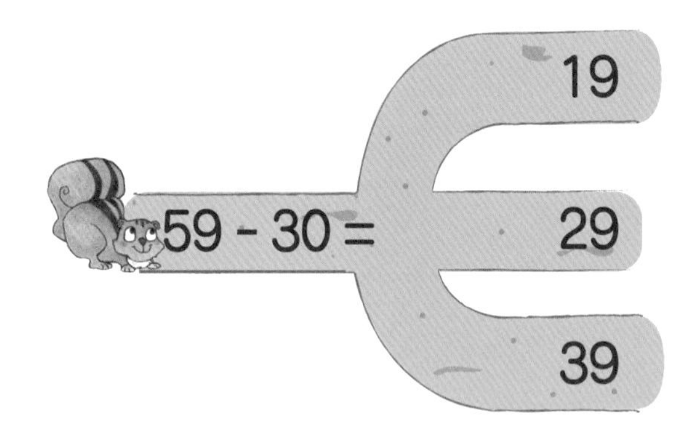

75 - 52 =
21
23
25

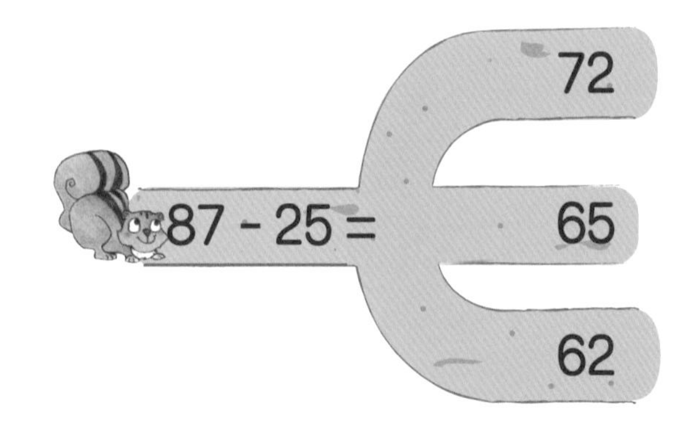

올바른 계산 결과를 찾아 선으로 이어 보세요.

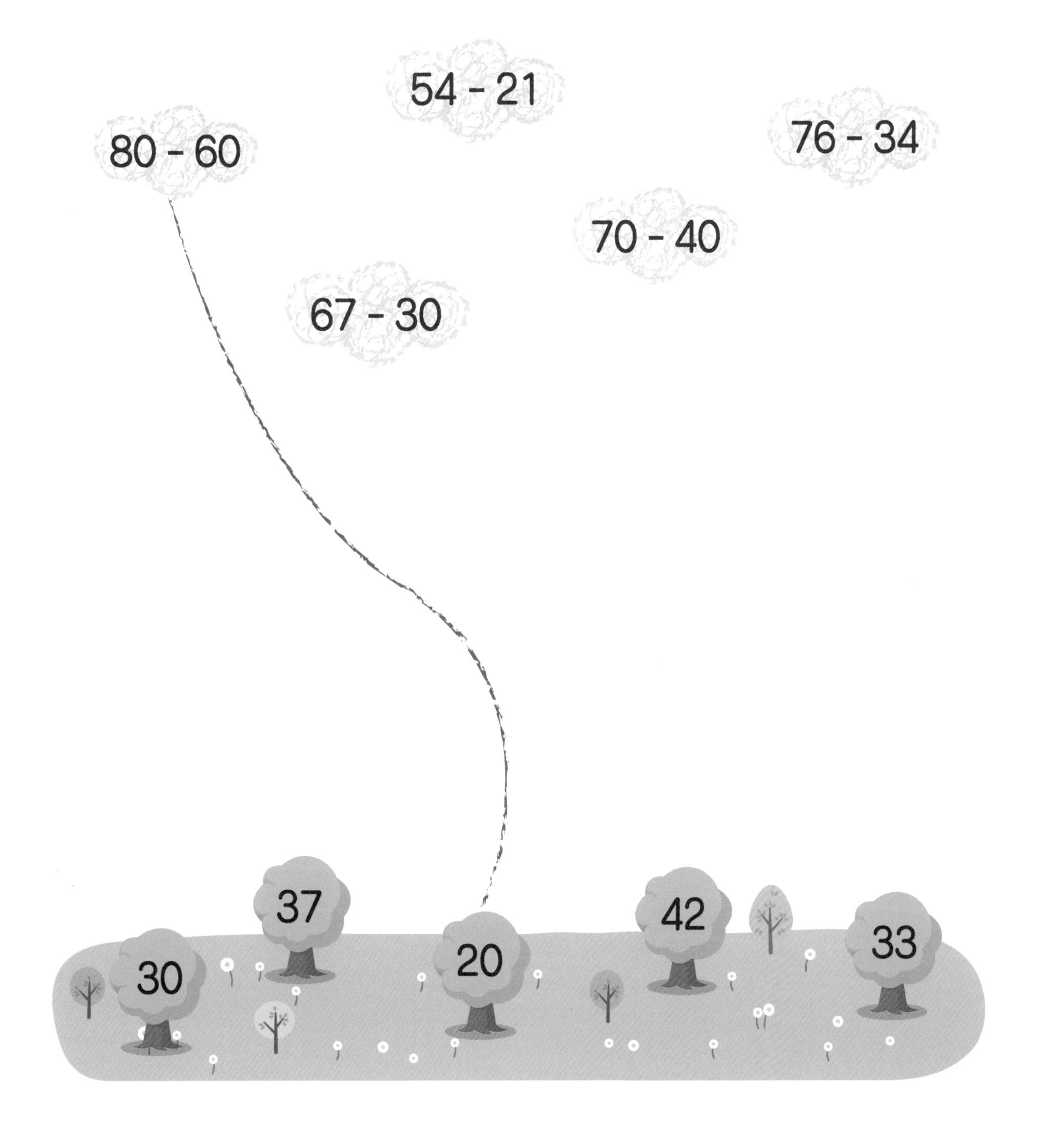

문장제

 이야기를 읽고, 현준이가 접은 종이학은 몇 개인지 구하세요.

동준이와 동생 현준이는 종이학을 접어 엄마에게 선물하기로 했습니다. 그 동안 제법 많이 접어서 종이학을 담아 둔 유리병이 가득 찼습니다.
"현준아, 우리 몇 개나 접었는지 세어 볼까? 네가 접은 것도 가져와 봐!"
동준이가 접은 종이학은 57개였고, 현준이가 접은 종이학은 동준이보다 10개 적었습니다.
현준이가 접은 종이학은 몇 개일까요?

식 :

 개

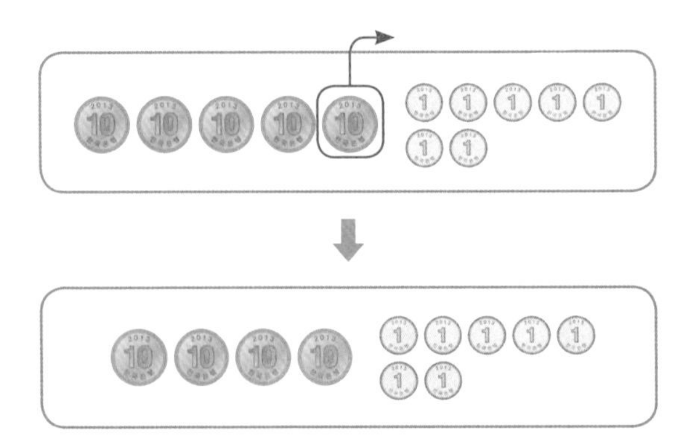

 다음을 읽고 알맞은 뺄셈식을 쓰고, 답을 구하세요.

주머니 안에 파란색 구슬과 빨간색 구슬이 모두 50개 있습니다. 그 중 30개가 빨간색 구슬이라면 파란색 구슬은 몇 개일까요?

식 :

개

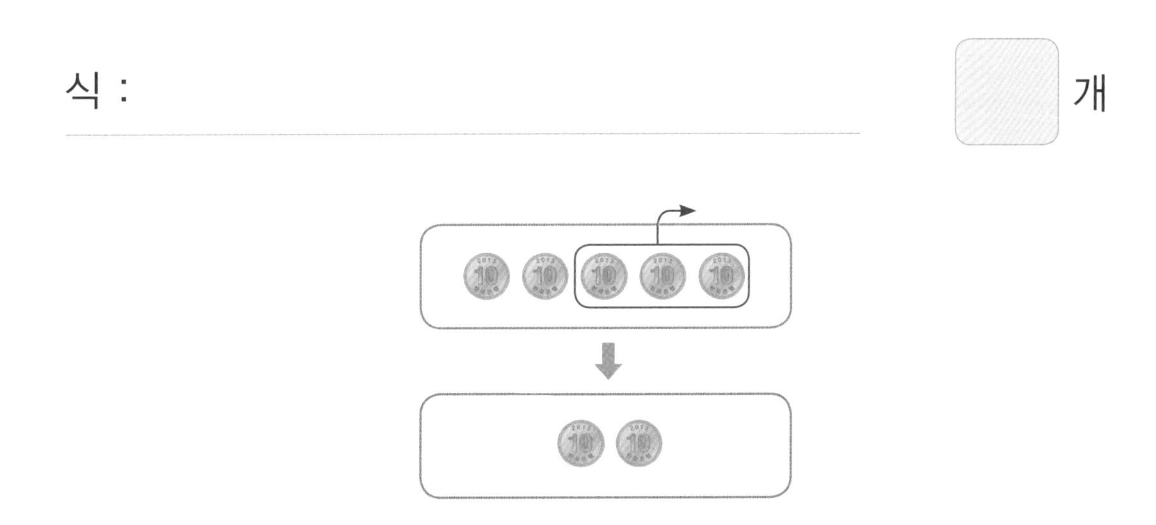

산에서 밤과 도토리를 주웠습니다. 도토리는 48개를 주웠고, 밤은 도토리보다 15개 적게 주웠습니다. 밤은 몇 개 주웠을까요?

식 :

개

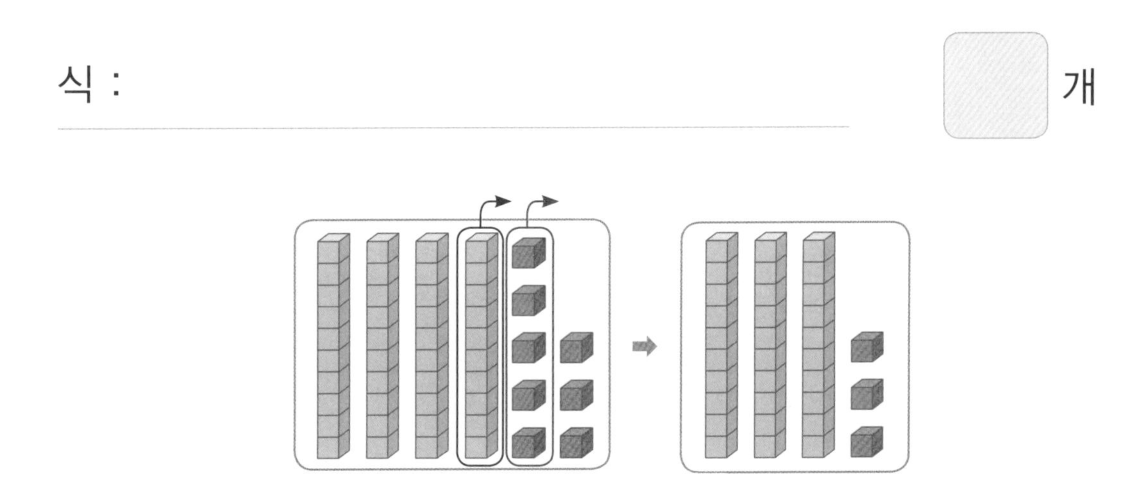

다음을 읽고 알맞은 뺄셈식을 쓰고, 답을 구하세요.

도서관에 60명의 학생이 책을 보고 있습니다. 몇 시간 후 40명이 집으로 돌아갔다면 도서관에 남아 책을 보는 학생은 몇 명일까요?

식 : ______________________ ☐ 명

버스에 37명이 타고 있습니다. 다음 정류소에서 14명이 내렸다면 버스에 남아 있는 사람은 몇 명일까요?

식 : ______________________ ☐ 명

민호는 색종이 56장을 가지고 있습니다. 친구에게 20장을 주었다면 민호에게 남은 색종이는 몇 장일까요?

식 : ______________________ ☐ 장

다음을 읽고 알맞은 뺄셈식을 쓰고, 답을 구하세요.

농장에 돼지와 오리가 있습니다. 돼지가 43마리 있고, 오리는 돼지보다 20마리 적게 있습니다. 농장에 있는 오리는 몇 마리일까요?

식 :

마리

수경이네 집에서 59마리의 소를 키우고 있습니다. 그 중 26마리를 옆집 삼촌 댁에서 키우기로 했습니다. 수경이네 집에 남은 소는 몇 마리일까요?

식 :

마리

주희의 할머니는 70살입니다. 아빠는 할머니보다 30살이 적습니다. 주희의 아빠는 몇 살일까요?

식 :

살

Note

소마셈 A7 – 4주차

세 수의 덧셈과 뺄셈

세 수의 덧셈

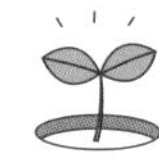

그림을 보고 □ 안에 알맞은 수를 써넣으세요.

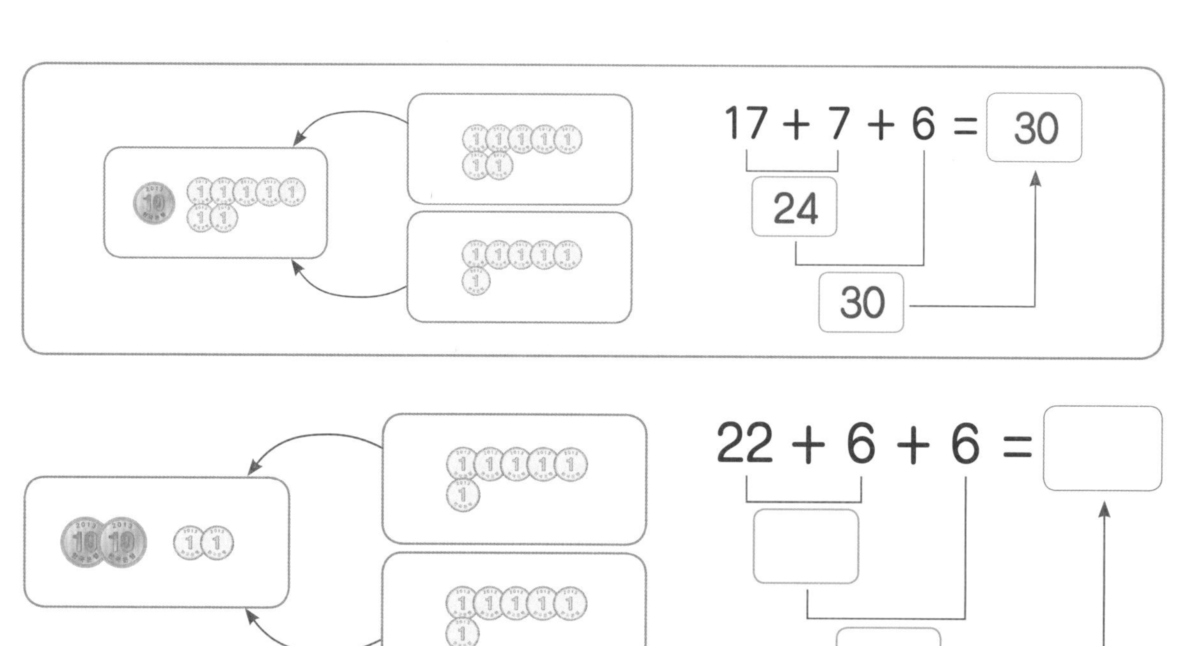

22 + 6 + 6 = □

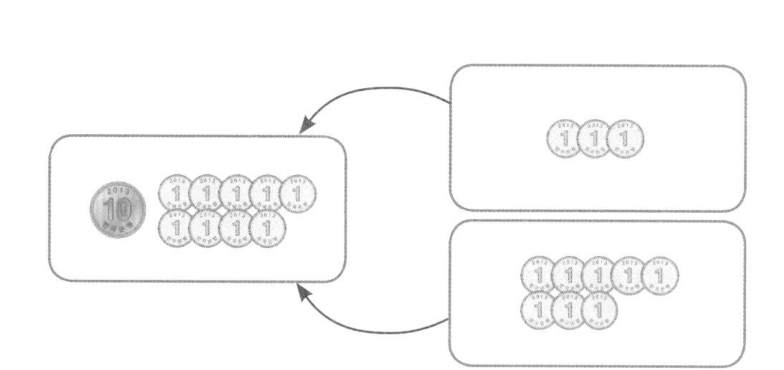

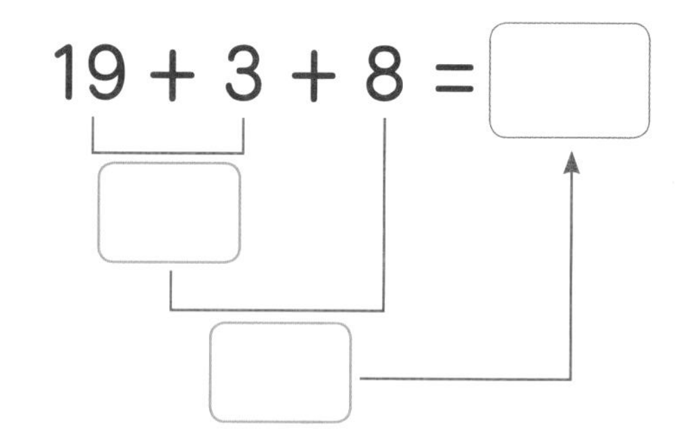

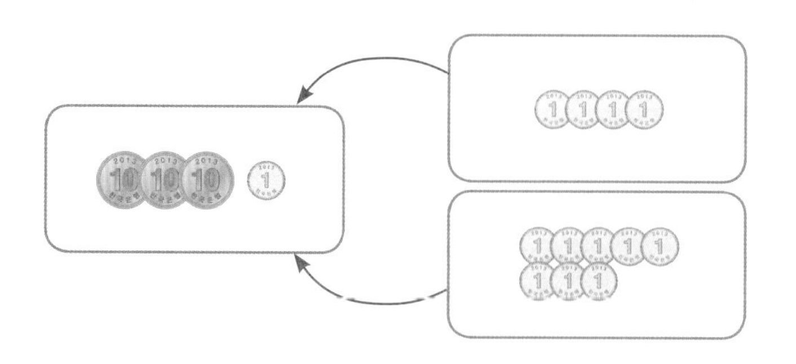

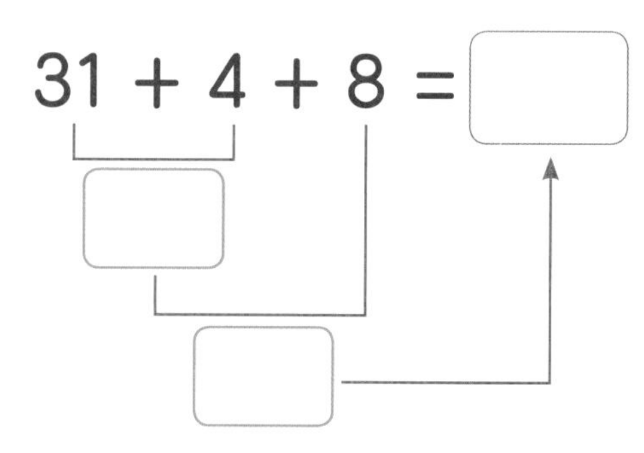

□ 안에 알맞은 수를 써넣어 차례로 계산하세요.

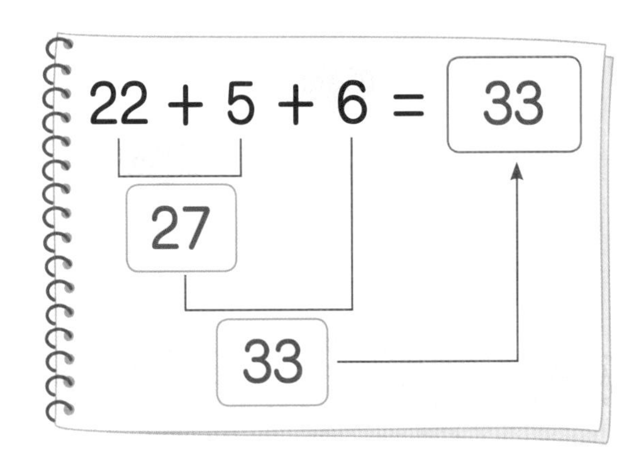

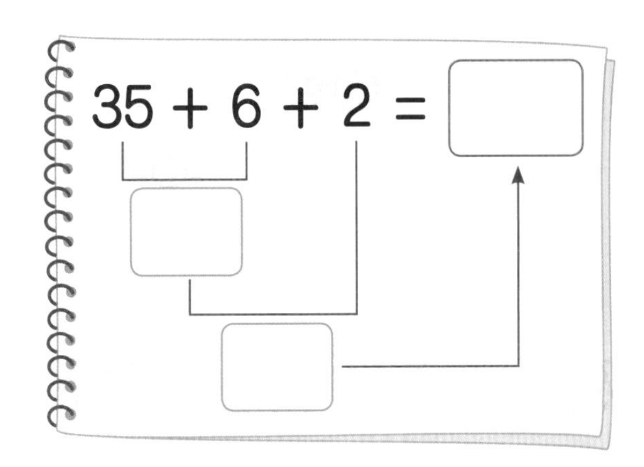

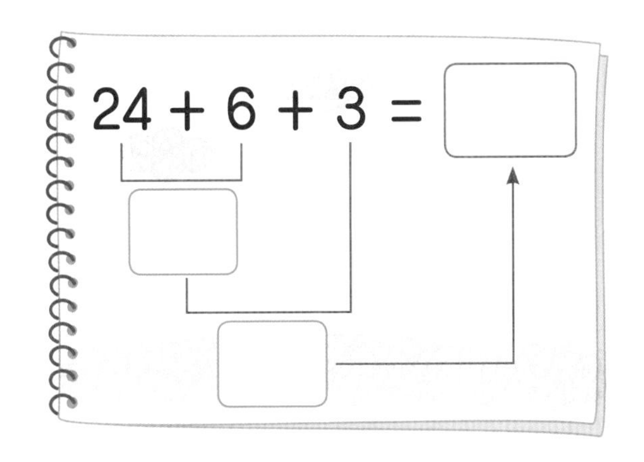

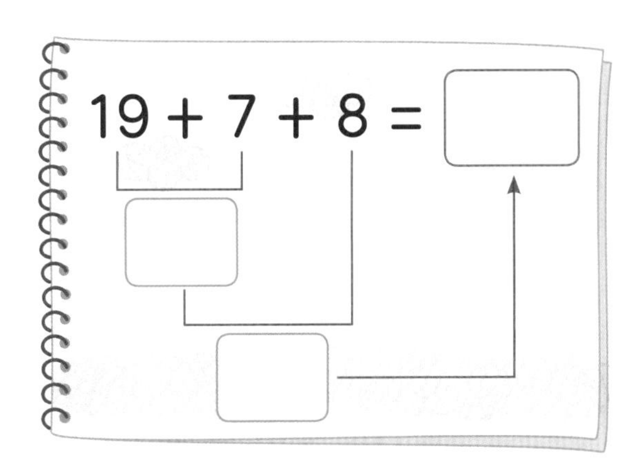

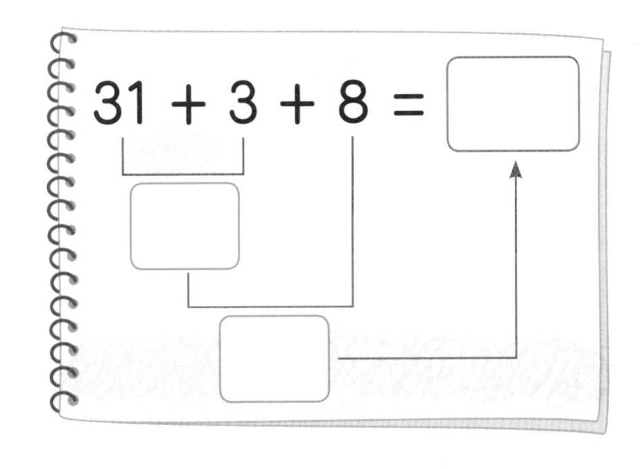

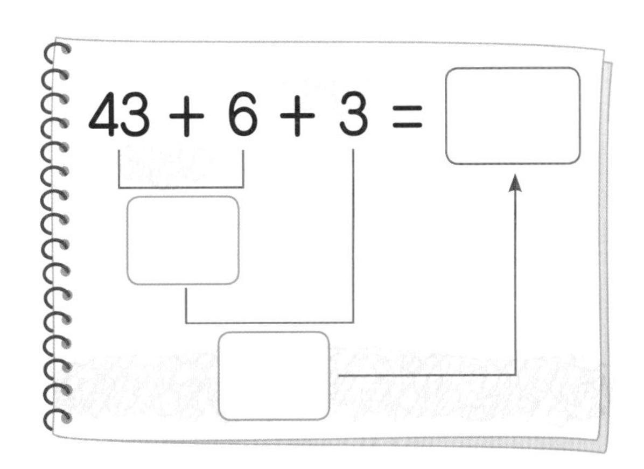

세 수의 뺄셈

그림을 보고 □ 안에 알맞은 수를 써넣으세요.

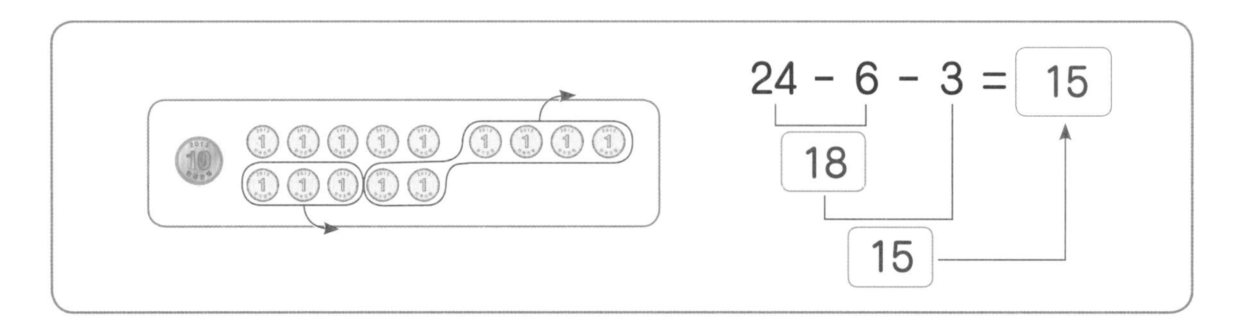

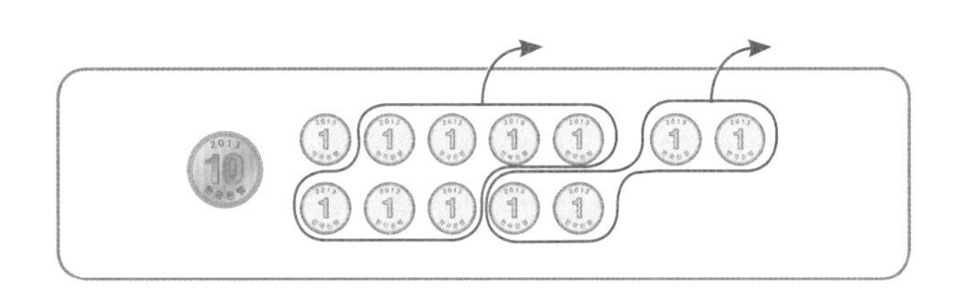

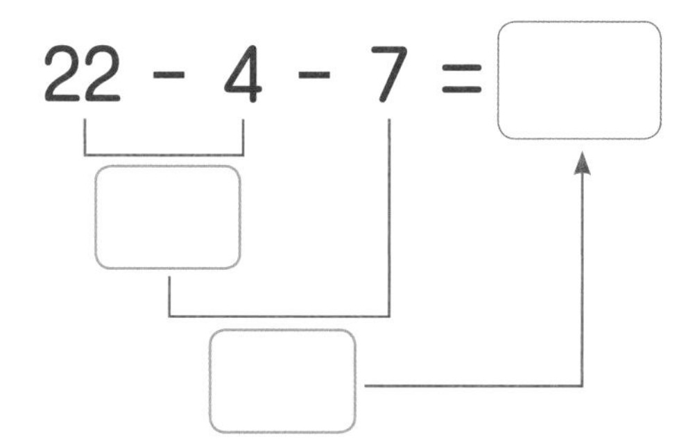

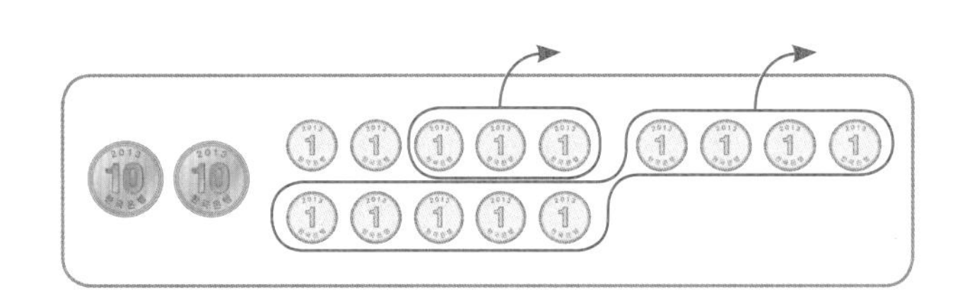

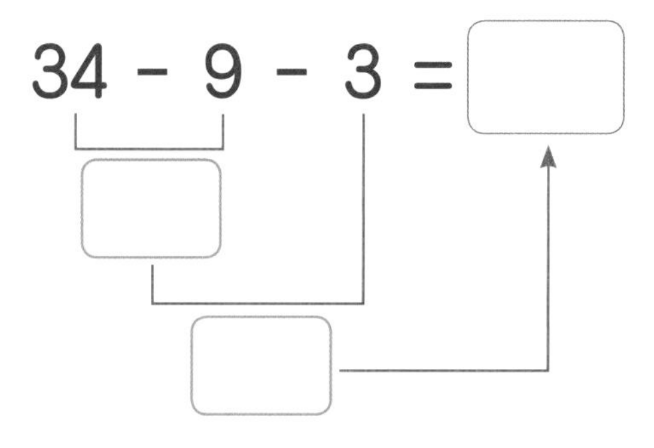

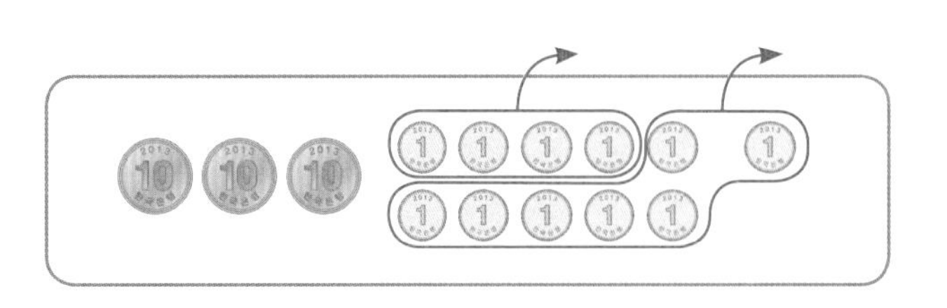

$41 - 7 - 4 = \square$

□ 안에 알맞은 수를 써넣어 차례로 계산하세요.

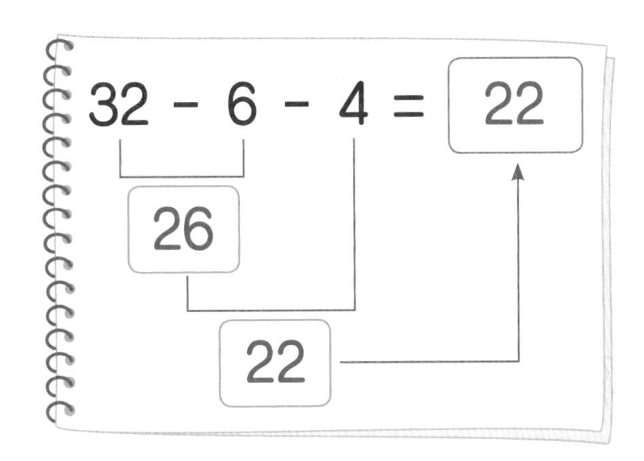

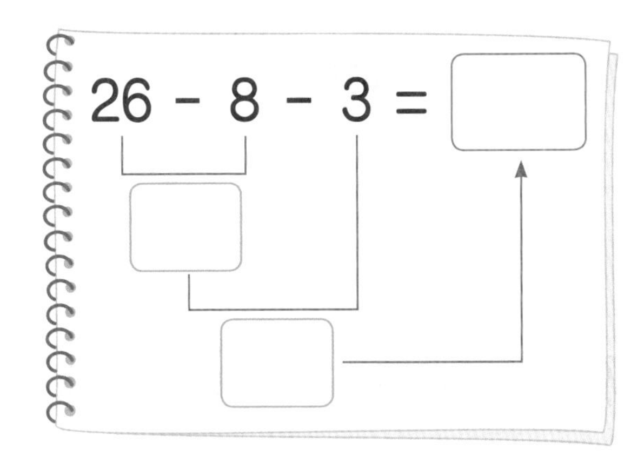

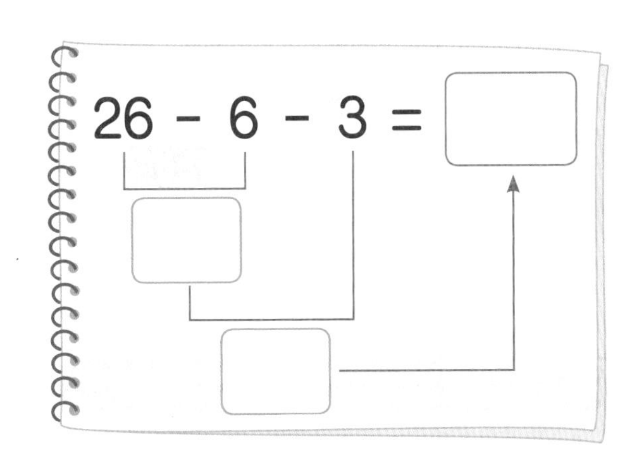

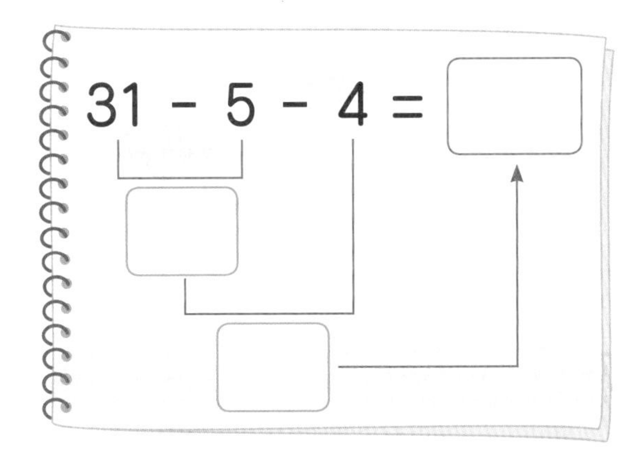

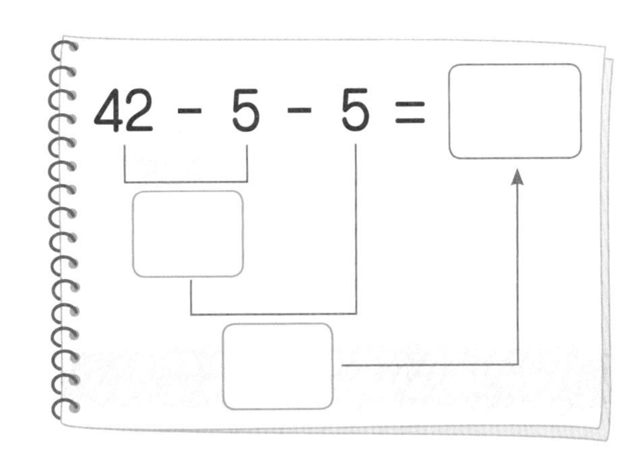

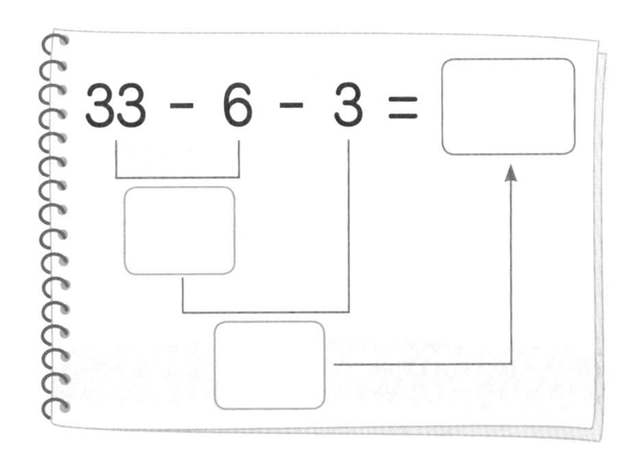

세 수의 덧셈과 뺄셈

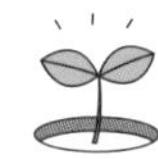 □ 안에 알맞은 수를 써넣으세요.

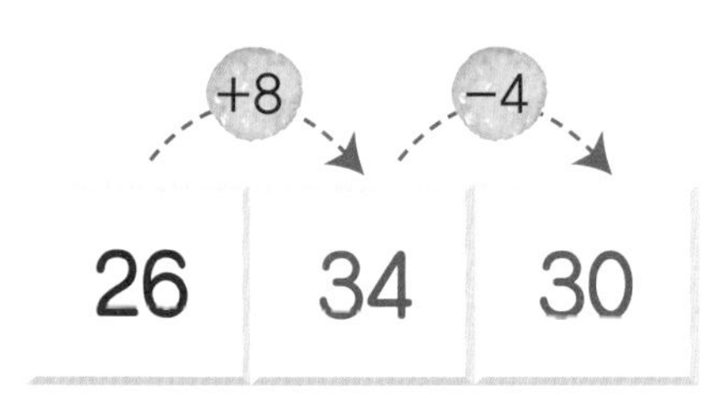

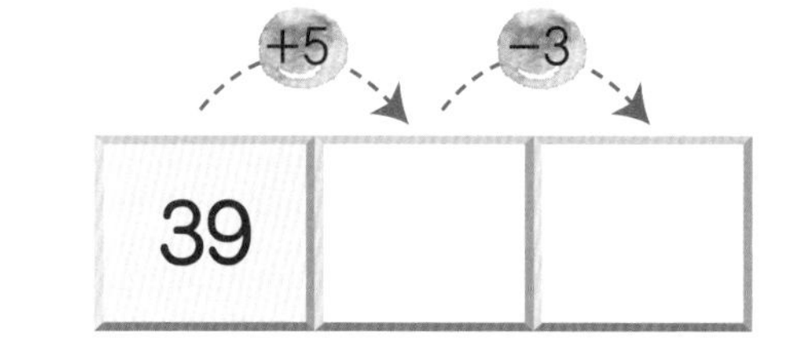

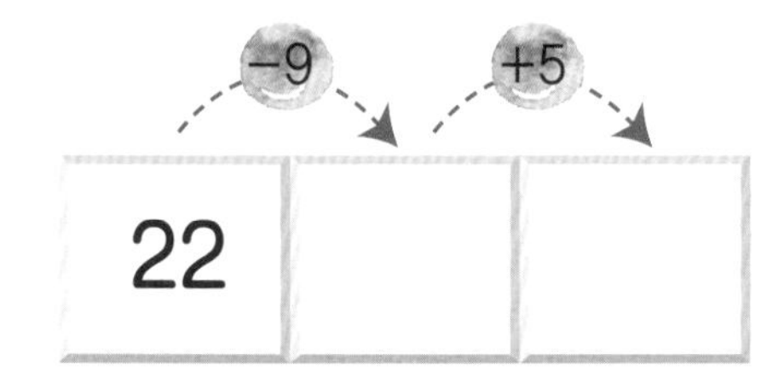

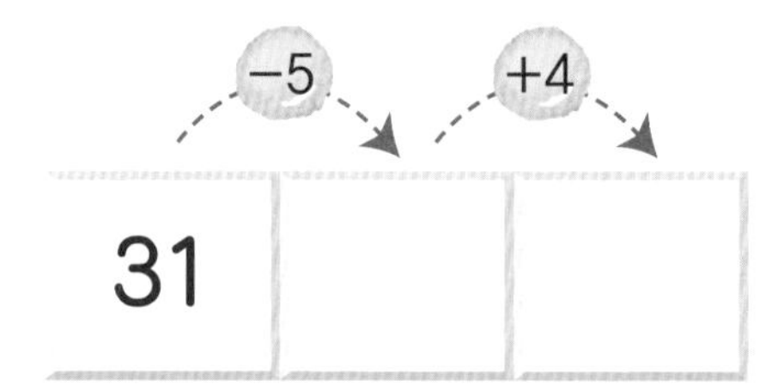

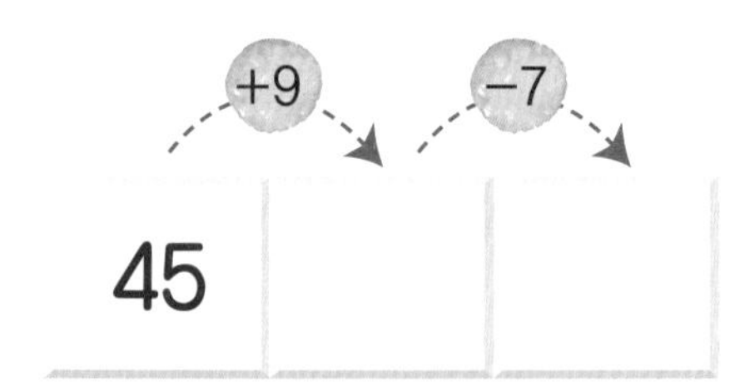

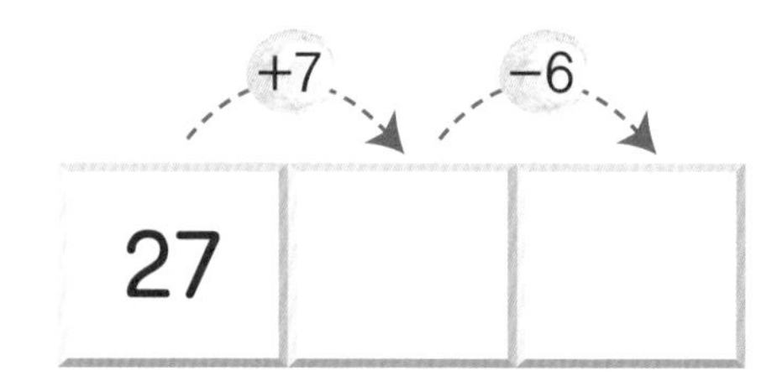

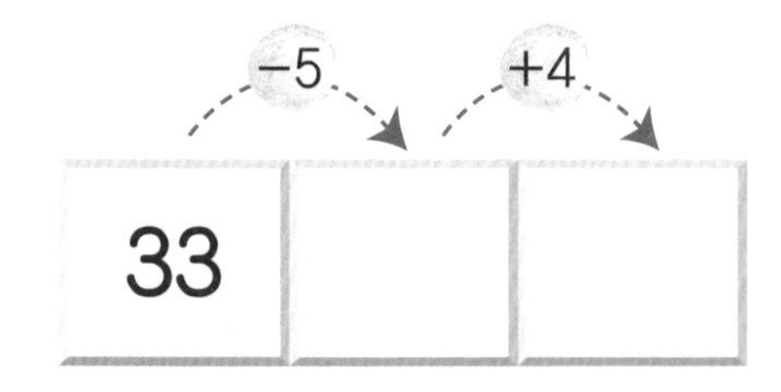

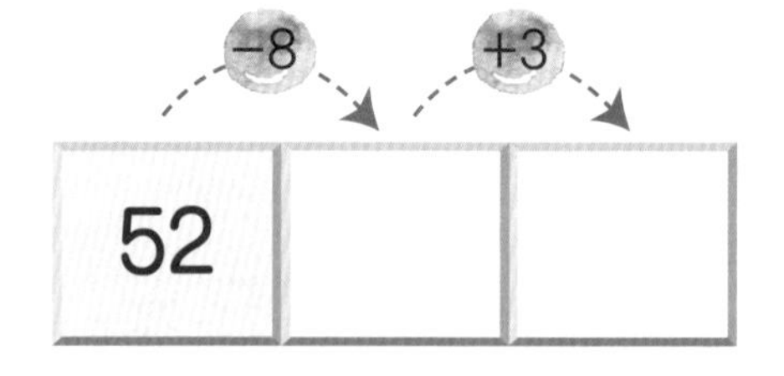

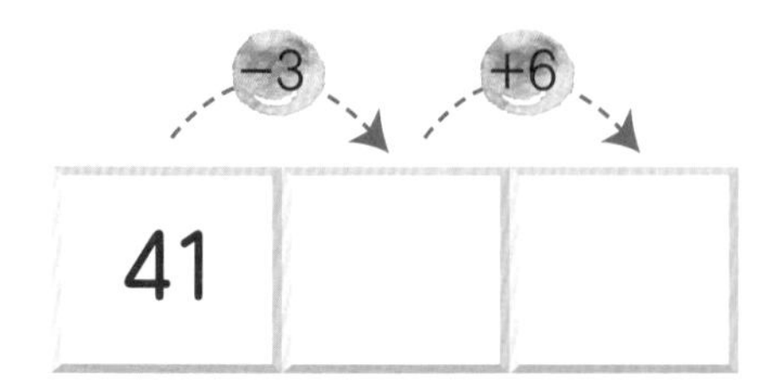

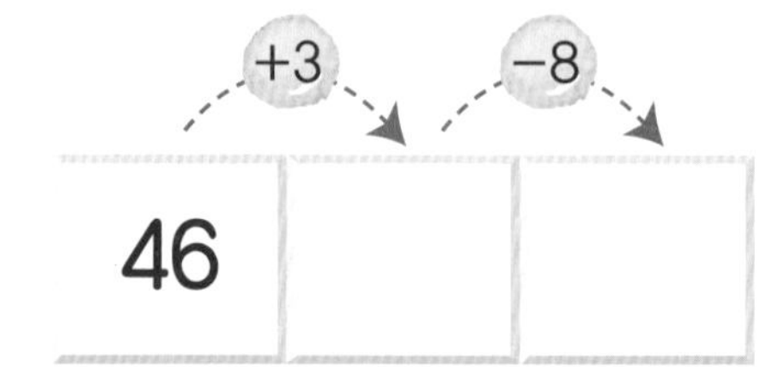

□ 안에 알맞은 수를 써넣어 차례로 계산하세요.

26 + 6 - 2 = □

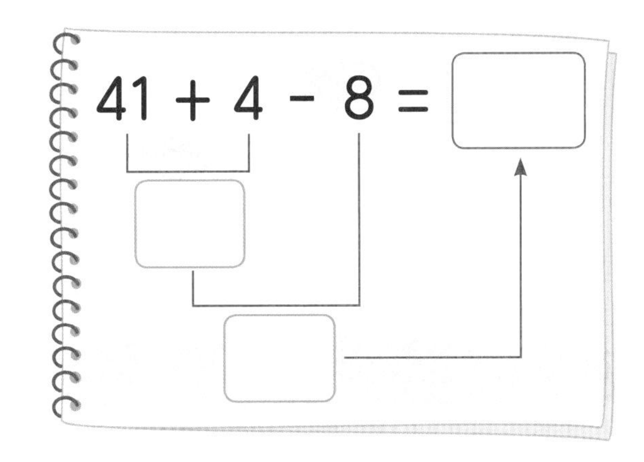

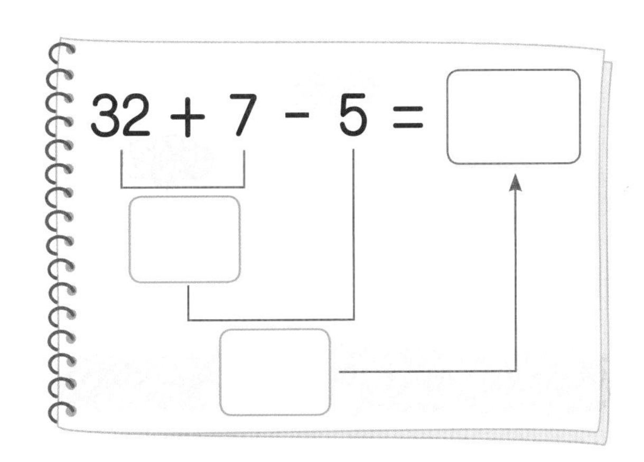

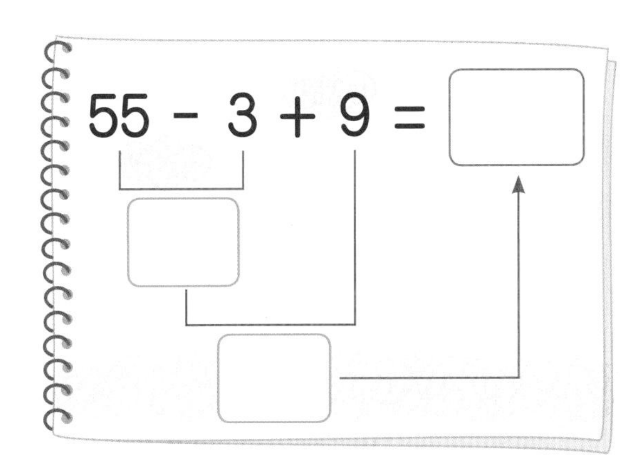

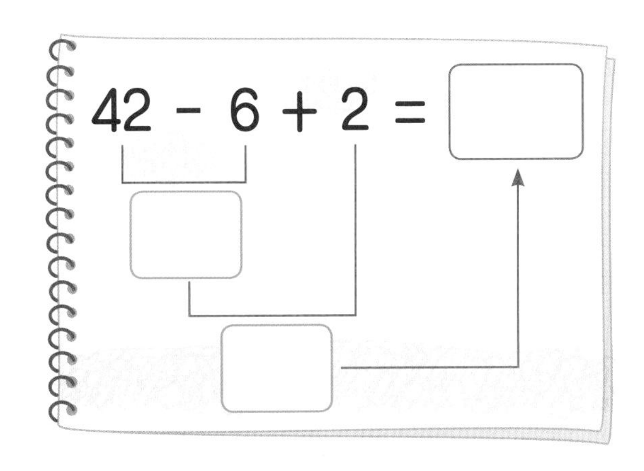

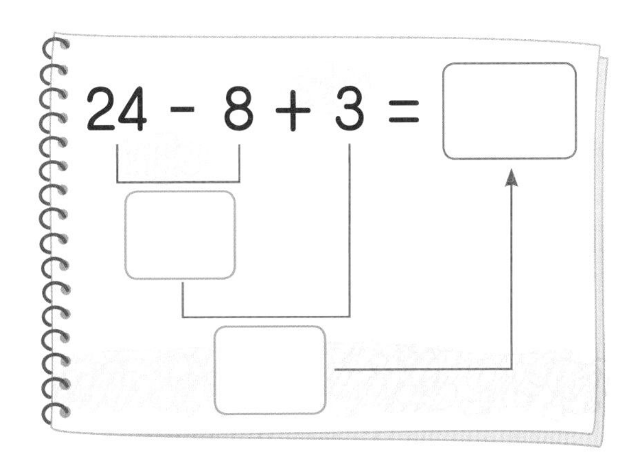

덧셈, 빨셈 퍼즐

올바른 계산 결과를 찾아 선을 그어 보세요.

식		답
37-8-5= 24		37
		24
25+8+4=		29
33+9+5=		32
		35
41-5-4=		47
27+3+9=		39
		40
54-7-7=		46

빈칸에 알맞은 수를 써넣으세요.

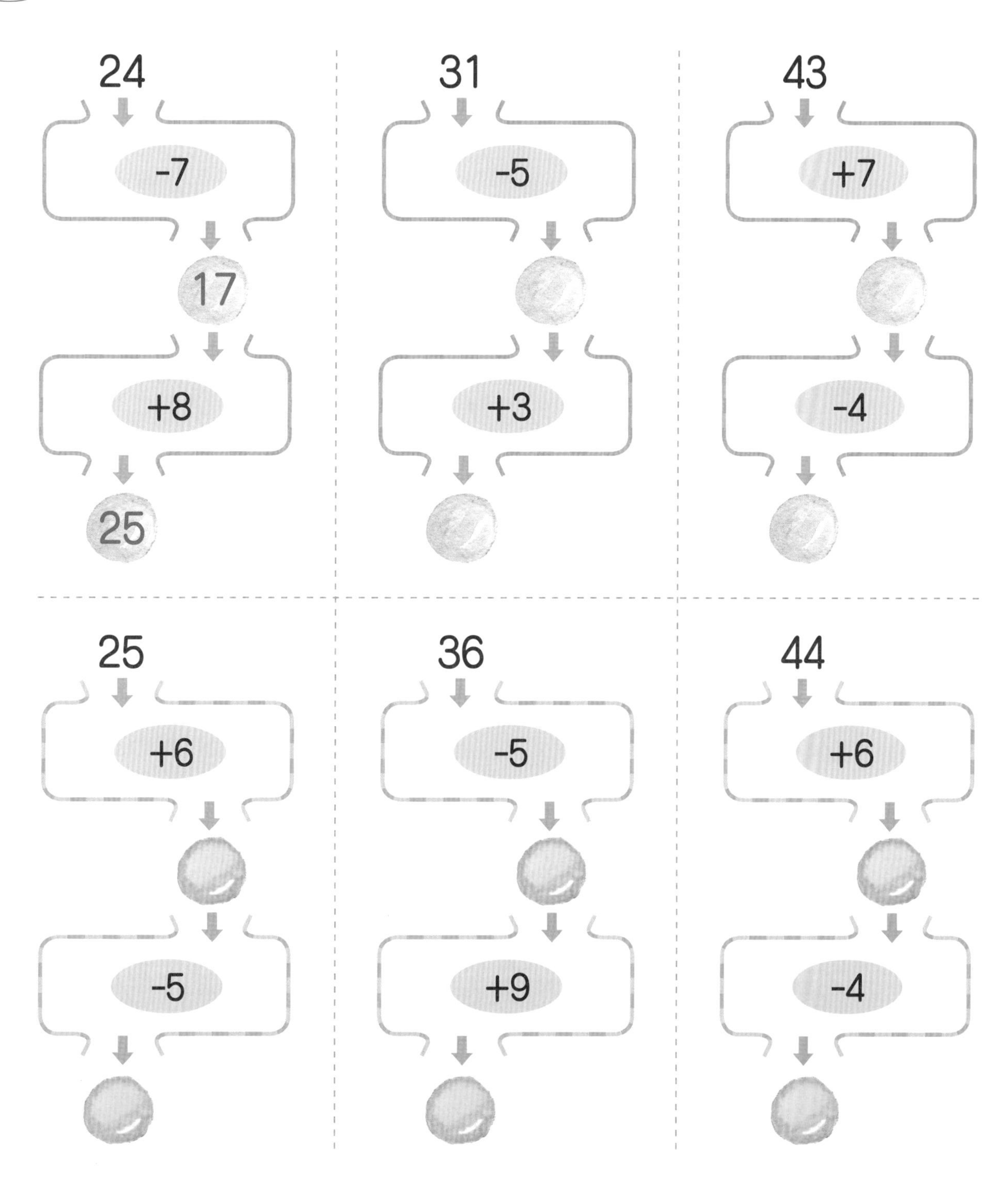

올바른 계산 결과를 찾아 선을 그어 보세요.

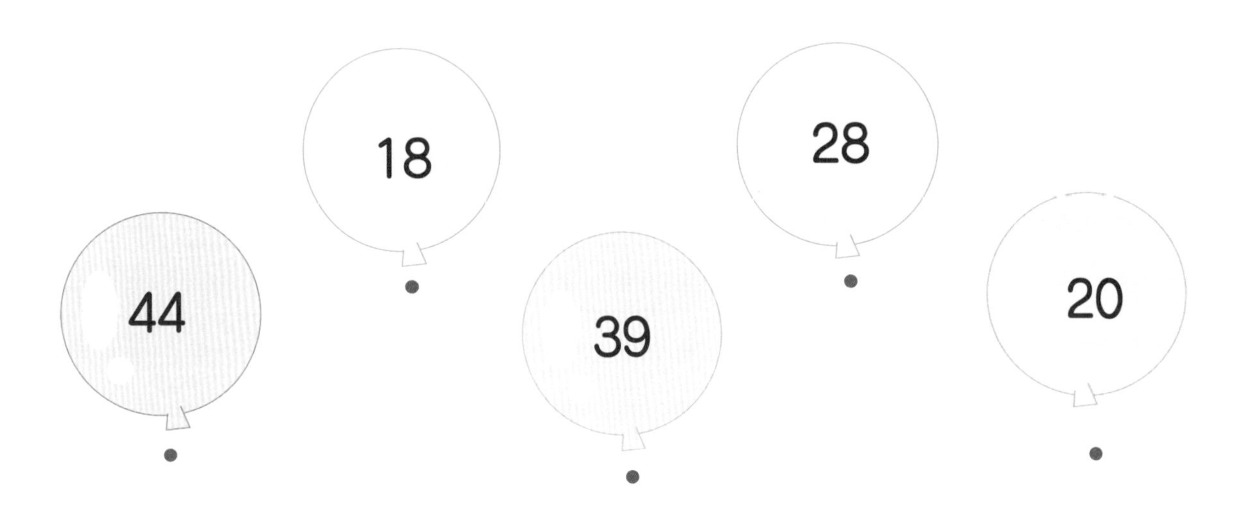

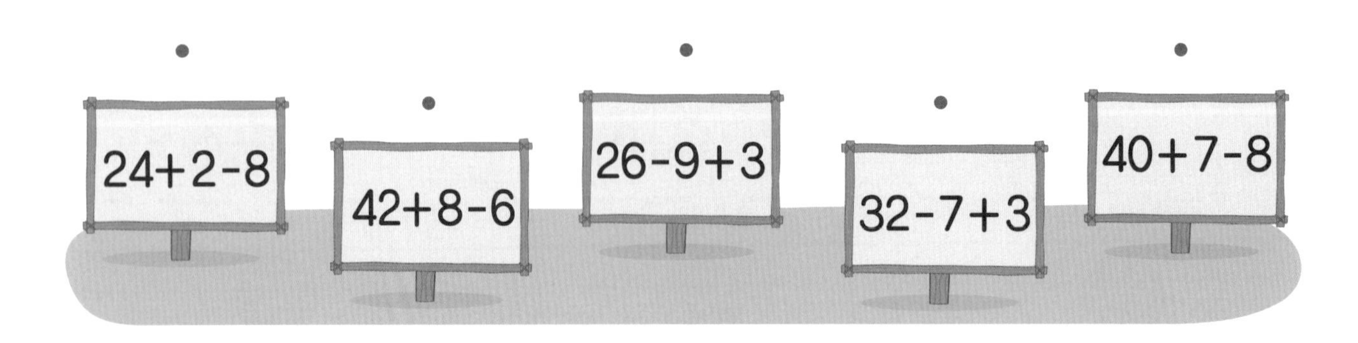

문장제

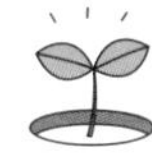

이야기를 읽고, 지민이가 가진 귤이 몇 개인지 구하세요.

어느 날 지민이네 집에 놀러 오신 이모가 귤을 사 오셨습니다.
엄마는 이모가 사 오신 귤 23개를 접시에 담아 오셨습니다.
오랜만에 만나 이야기를 나누며 모두 9개의 귤을 먹었습니다.
저녁이 되어 집으로 돌아온 아빠께서 지민이가 좋아하는 귤 6개를 더 사 오셨습니다.
지금 지민이가 가진 귤은 모두 몇 개일까요?

식 : $23 - 9 + 6 = 20$ ☐ 개

 다음을 읽고 알맞은 식을 쓰고, 답을 구하세요.

지붕 위에 참새 33마리와 비둘기 8마리가 앉아 있습니다. 참새 5마리가 더 날아와 앉았다면 지붕 위에 있는 참새와 비둘기는 모두 몇 마리일까요?

식 : ____________________ [ ] 마리

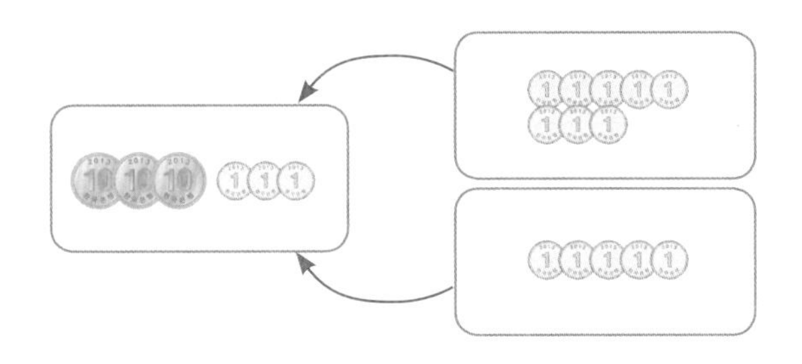

버스에 사람이 모두 25명 타고 있습니다. 첫 번째 정류장에서 4명이 내리고, 두 번째 정류장에서 5명이 내렸습니다. 버스에 타고 있는 사람은 몇 명일까요?

식 : ____________________ [ ] 명

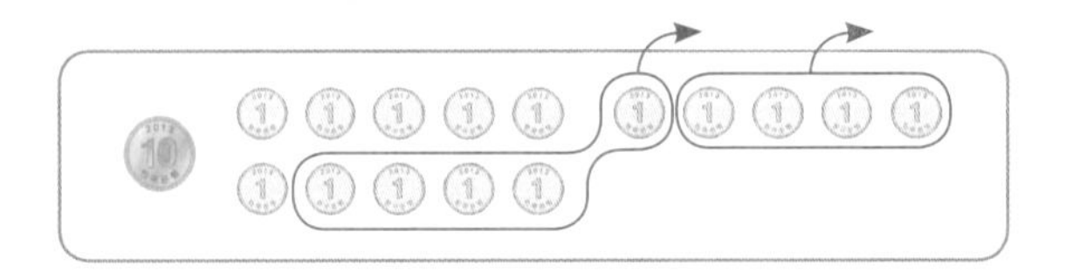

다음을 읽고 알맞은 식을 쓰고, 답을 구하세요.

소영이는 연필 31자루를 가지고 있습니다. 언니에게 5자루를 받고, 동생에게 6자루를 더 받았습니다. 소영이가 가진 연필은 모두 몇 자루일까요?

식 : 자루

지하철에 45명의 사람이 타고 있습니다. 다음 역에서 8명이 타고 4명이 내렸습니다. 지금 지하철에 타고 있는 사람은 몇 명일까요?

식 : 명

20살인 진우에게는 동생이 두 명 있습니다. 첫째 동생은 진우보다 6살이 적고, 막내 동생은 첫째 동생보다 4살이 적습니다. 진우의 막내 동생은 몇 살일까요?

식 : 살

 다음을 읽고 알맞은 식을 쓰고, 답을 구하세요.

접시에 땅콩이 42개 있습니다. 형이 8개, 동생이 7개를 먹었다면 접시에 남은 땅콩은 몇 개일까요?

식 :

 개

수영이네 과수원에서 어제 사과를 37개 땄습니다. 오늘은 엄마를 도와 수영이가 6개, 동생이 4개를 땄습니다. 이틀 동안 딴 사과는 모두 몇 개일까요?

식 :

 개

송이는 26살입니다. 송이의 언니는 송이보다 7살이 많고, 오빠는 송이의 언니보다 4살이 적습니다. 송이의 오빠는 몇 살일까요?

식 :

 살

보충학습

Drill

두 자리 수의 덧셈과 뺄셈

□ 안에 알맞은 수를 써넣으세요.

$20 + 8 = \square$

$23 + 8 = \square$

$41 + 9 = \square$

$62 + 8 = \square$

$46 + 7 = \square$

$54 + 9 = \square$

$63 + 8 = \square$

$23 + 9 = \square$

$20 + 7 = \square$

$34 + 7 = \square$

$45 + 6 = \square$

$53 + 9 = \square$

$64 + 7 = \square$

$58 + 5 = \square$

□ 안에 알맞은 수를 써넣으세요.

$28 - 7 = \square$

$30 - 6 = \square$

$33 - 8 = \square$

$42 - 5 = \square$

$41 - 2 = \square$

$53 - 4 = \square$

$60 - 7 = \square$

$25 - 7 = \square$

$27 - 5 = \square$

$32 - 4 = \square$

$35 - 9 = \square$

$42 - 8 = \square$

$44 - 6 = \square$

$52 - 5 = \square$

□ 안에 알맞은 수를 써넣으세요.

$22 + 7 = \square$

$24 + 6 = \square$

$33 + 8 = \square$

$36 + 6 = \square$

$43 + 8 = \square$

$45 + 7 = \square$

$52 + 6 = \square$

$24 + 8 = \square$

$26 + 4 = \square$

$31 + 8 = \square$

$44 + 7 = \square$

$53 + 7 = \square$

$65 + 6 = \square$

$67 + 8 = \square$

□ 안에 알맞은 수를 써넣으세요.

$48 - 8 = \square$

$45 - 6 = \square$

$34 - 7 = \square$

$32 - 9 = \square$

$23 - 8 = \square$

$21 - 5 = \square$

$21 - 8 = \square$

$47 - 6 = \square$

$33 - 4 = \square$

$35 - 8 = \square$

$31 - 3 = \square$

$26 - 9 = \square$

$23 - 4 = \square$

$22 - 5 = \square$

□ 안에 알맞은 수를 써넣으세요.

$30 + 6 = \square$

$35 + 6 = \square$

$51 + 8 = \square$

$73 + 7 = \square$

$38 + 7 = \square$

$53 + 8 = \square$

$67 + 7 = \square$

$24 + 7 = \square$

$20 + 7 = \square$

$60 + 8 = \square$

$50 + 7 = \square$

$52 + 9 = \square$

$63 + 6 = \square$

$59 + 4 = \square$

□ 안에 알맞은 수를 써넣으세요.

$39 - 9 = \square$

$40 - 4 = \square$

$33 - 7 = \square$

$41 - 9 = \square$

$34 - 9 = \square$

$43 - 6 = \square$

$70 - 4 = \square$

$35 - 8 = \square$

$37 - 6 = \square$

$52 - 5 = \square$

$26 - 8 = \square$

$31 - 2 = \square$

$54 - 7 = \square$

$67 - 3 = \square$

□ 안에 알맞은 수를 써넣으세요.

$19 + 5 = \square$

$27 + 7 = \square$

$29 + 8 = \square$

$66 + 5 = \square$

$43 + 7 = \square$

$65 + 7 = \square$

$48 + 9 = \square$

$34 + 8 = \square$

$51 + 9 = \square$

$50 + 4 = \square$

$48 + 3 = \square$

$28 + 9 = \square$

$57 + 5 = \square$

$34 + 7 = \square$

□ 안에 알맞은 수를 써넣으세요.

$27 - 9 = \square$

$51 - 4 = \square$

$44 - 5 = \square$

$62 - 4 = \square$

$29 - 7 = \square$

$41 - 6 = \square$

$50 - 6 = \square$

$40 - 8 = \square$

$36 - 5 = \square$

$51 - 6 = \square$

$36 - 9 = \square$

$42 - 2 = \square$

$64 - 8 = \square$

$62 - 5 = \square$

받아올림이 없는 두 자리 수의 덧셈

□ 안에 알맞은 수를 써넣으세요.

$11 + 30 = \square$

$21 + 46 = \square$

$34 + 22 = \square$

$30 + 41 = \square$

$36 + 13 = \square$

$42 + 37 = \square$

$13 + 55 = \square$

$33 + 40 = \square$

$42 + 24 = \square$

$31 + 45 = \square$

$26 + 12 = \square$

$10 + 70 = \square$

$35 + 21 = \square$

$16 + 23 = \square$

□ 안에 알맞은 수를 써넣으세요.

16 + 23 = □

34 + 20 = □

10 + 30 = □

45 + 30 = □

13 + 54 = □

48 + 21 = □

24 + 53 = □

43 + 20 = □

35 + 13 = □

10 + 47 = □

36 + 11 = □

27 + 22 = □

33 + 55 = □

41 + 26 = □

□ 안에 알맞은 수를 써넣으세요.

$10 + 80 = \square$

$22 + 50 = \square$

$33 + 56 = \square$

$43 + 20 = \square$

$31 + 42 = \square$

$44 + 24 = \square$

$35 + 23 = \square$

$23 + 40 = \square$

$34 + 14 = \square$

$48 + 11 = \square$

$53 + 10 = \square$

$50 + 30 = \square$

$35 + 12 = \square$

$18 + 11 = \square$

□ 안에 알맞은 수를 써넣으세요.

$20 + 27 = \square$

$41 + 36 = \square$

$23 + 46 = \square$

$31 + 26 = \square$

$43 + 13 = \square$

$53 + 22 = \square$

$42 + 14 = \square$

$30 + 11 = \square$

$27 + 12 = \square$

$36 + 23 = \square$

$18 + 31 = \square$

$22 + 57 = \square$

$40 + 31 = \square$

$23 + 45 = \square$

□ 안에 알맞은 수를 써넣으세요.

$20 + 40 = \square$

$35 + 20 = \square$

$41 + 48 = \square$

$50 + 40 = \square$

$37 + 21 = \square$

$30 + 32 = \square$

$76 + 13 = \square$

$42 + 50 = \square$

$33 + 36 = \square$

$36 + 51 = \square$

$57 + 10 = \square$

$60 + 20 = \square$

$36 + 42 = \square$

$18 + 61 = \square$

□ 안에 알맞은 수를 써넣으세요.

$23 + 42 = \square$

$45 + 30 = \square$

$37 + 41 = \square$

$40 + 40 = \square$

$36 + 50 = \square$

$30 + 30 = \square$

$55 + 24 = \square$

$37 + 50 = \square$

$55 + 14 = \square$

$63 + 20 = \square$

$25 + 62 = \square$

$46 + 20 = \square$

$51 + 16 = \square$

$33 + 44 = \square$

□ 안에 알맞은 수를 써넣으세요.

$21 + 28 = \square$

$33 + 45 = \square$

$40 + 30 = \square$

$52 + 24 = \square$

$31 + 25 = \square$

$44 + 12 = \square$

$56 + 23 = \square$

$40 + 35 = \square$

$19 + 40 = \square$

$25 + 52 = \square$

$34 + 24 = \square$

$51 + 20 = \square$

$62 + 26 = \square$

$27 + 41 = \square$

□ 안에 알맞은 수를 써넣으세요.

$31 + 31 = \square$

$26 + 42 = \square$

$51 + 40 = \square$

$30 + 43 = \square$

$55 + 12 = \square$

$42 + 33 = \square$

$66 + 10 = \square$

$50 + 30 = \square$

$22 + 45 = \square$

$34 + 22 = \square$

$25 + 30 = \square$

$60 + 18 = \square$

$44 + 32 = \square$

$40 + 47 = \square$

받아내림이 없는 두 자리 수의 뺄셈

□ 안에 알맞은 수를 써넣으세요.

$45 - 31 = \square$

$28 - 17 = \square$

$65 - 34 = \square$

$38 - 22 = \square$

$54 - 40 = \square$

$29 - 16 = \square$

$37 - 26 = \square$

$40 - 10 = \square$

$48 - 23 = \square$

$54 - 34 = \square$

$43 - 31 = \square$

$52 - 11 = \square$

$80 - 30 = \square$

$47 - 25 = \square$

□ 안에 알맞은 수를 써넣으세요.

$45 - 10 = \square$

$54 - 21 = \square$

$60 - 30 = \square$

$53 - 23 = \square$

$49 - 17 = \square$

$64 - 33 = \square$

$65 - 14 = \square$

$36 - 10 = \square$

$55 - 12 = \square$

$49 - 16 = \square$

$27 - 13 = \square$

$60 - 40 = \square$

$84 - 20 = \square$

$70 - 50 = \square$

□ 안에 알맞은 수를 써넣으세요.

45 - 23 = □

56 - 30 = □

70 - 10 = □

48 - 23 = □

54 - 21 = □

65 - 14 = □

67 - 26 = □

28 - 10 = □

57 - 13 = □

64 - 32 = □

45 - 10 = □

70 - 40 = □

65 - 30 = □

90 - 70 = □

□ 안에 알맞은 수를 써넣으세요.

53 - 12 = □

65 - 23 = □

43 - 20 = □

58 - 26 = □

57 - 31 = □

49 - 16 = □

52 - 10 = □

38 - 11 = □

45 - 12 = □

59 - 26 = □

37 - 15 = □

60 - 20 = □

84 - 32 = □

74 - 23 = □

□ 안에 알맞은 수를 써넣으세요.

29 - 16 = □

54 - 13 = □

70 - 30 = □

74 - 23 = □

64 - 44 = □

57 - 30 = □

39 - 22 = □

50 - 20 = □

52 - 30 = □

42 - 32 = □

63 - 20 = □

87 - 14 = □

60 - 10 = □

48 - 33 = □

□ 안에 알맞은 수를 써넣으세요.

$48 - 17 = \square$

$58 - 30 = \square$

$70 - 20 = \square$

$49 - 30 = \square$

$58 - 18 = \square$

$59 - 40 = \square$

$68 - 16 = \square$

$29 - 10 = \square$

$77 - 12 = \square$

$59 - 33 = \square$

$37 - 10 = \square$

$60 - 50 = \square$

$85 - 20 = \square$

$80 - 60 = \square$

□ 안에 알맞은 수를 써넣으세요.

26 - 10 = □

48 - 15 = □

61 - 40 = □

67 - 25 = □

53 - 30 = □

90 - 50 = □

75 - 24 = □

55 - 22 = □

47 - 40 = □

58 - 33 = □

49 - 26 = □

85 - 34 = □

68 - 18 = □

57 - 35 = □

□ 안에 알맞은 수를 써넣으세요.

$66 - 26 = \square$

$85 - 40 = \square$

$62 - 30 = \square$

$49 - 37 = \square$

$57 - 24 = \square$

$80 - 50 = \square$

$68 - 50 = \square$

$56 - 25 = \square$

$49 - 13 = \square$

$48 - 36 = \square$

$35 - 14 = \square$

$38 - 14 = \square$

$76 - 41 = \square$

$57 - 46 = \square$

세 수의 덧셈과 뺄셈

□ 안에 알맞은 수를 써넣으세요.

$26 + 8 + 2 = \square$

$33 + 4 + 7 = \square$

$32 + 5 + 4 = \square$

$29 + 3 + 5 = \square$

$35 + 4 + 6 = \square$

$51 + 8 + 3 = \square$

$44 + 7 + 2 = \square$

$31 + 7 + 2 = \square$

$18 + 4 + 2 = \square$

$26 + 4 + 5 = \square$

$35 + 7 + 2 = \square$

$36 + 7 + 1 = \square$

$29 + 5 + 3 = \square$

$45 + 6 + 3 = \square$

□ 안에 알맞은 수를 써넣으세요.

$25 - 5 - 6 = \square$

$31 - 6 - 3 = \square$

$21 - 8 - 5 = \square$

$33 - 4 - 8 = \square$

$26 - 6 - 4 = \square$

$35 - 9 - 2 = \square$

$42 - 3 - 5 = \square$

$19 - 6 - 3 = \square$

$25 - 7 - 3 = \square$

$34 - 5 - 2 = \square$

$26 - 8 - 4 = \square$

$43 - 5 - 2 = \square$

$25 - 9 - 4 = \square$

$52 - 8 - 4 = \square$

□ 안에 알맞은 수를 써넣으세요.

$35 + 4 + 6 = \square$

$22 + 6 + 7 = \square$

$25 + 6 + 6 = \square$

$31 + 5 + 7 = \square$

$29 + 2 + 4 = \square$

$33 + 6 + 7 = \square$

$52 + 5 + 8 = \square$

$26 + 7 + 5 = \square$

$19 + 5 + 6 = \square$

$27 + 3 + 4 = \square$

$35 + 5 + 3 = \square$

$36 + 4 + 8 = \square$

$29 + 6 + 8 = \square$

$44 + 5 + 6 = \square$

□ 안에 알맞은 수를 써넣으세요.

$24 - 4 - 5 = \square$

$32 - 5 - 5 = \square$

$23 - 6 - 2 = \square$

$35 - 6 - 5 = \square$

$27 - 7 - 4 = \square$

$42 - 4 - 8 = \square$

$57 - 7 - 5 = \square$

$18 - 6 - 7 = \square$

$26 - 8 - 5 = \square$

$35 - 3 - 6 = \square$

$26 - 7 - 5 = \square$

$44 - 8 - 5 = \square$

$26 - 5 - 9 = \square$

$51 - 7 - 3 = \square$

□ 안에 알맞은 수를 써넣으세요.

$28 + 5 - 3 = \square$

$24 + 6 - 8 = \square$

$29 + 7 - 8 = \square$

$31 + 6 - 5 = \square$

$33 + 7 - 8 = \square$

$52 + 6 - 7 = \square$

$34 + 6 - 9 = \square$

$25 + 7 - 4 = \square$

$23 + 8 - 3 = \square$

$26 + 9 - 5 = \square$

$35 + 4 - 6 = \square$

$33 + 7 - 8 = \square$

$34 + 8 - 4 = \square$

$43 + 6 - 7 = \square$

□ 안에 알맞은 수를 써넣으세요.

$23 - 3 + 5 = \square$

$31 - 5 + 2 = \square$

$23 - 6 + 4 = \square$

$32 - 6 + 6 = \square$

$28 - 8 + 5 = \square$

$33 - 6 + 3 = \square$

$54 - 8 + 6 = \square$

$17 - 6 + 5 = \square$

$26 - 7 + 6 = \square$

$33 - 4 + 5 = \square$

$25 - 6 + 4 = \square$

$42 - 8 + 6 = \square$

$26 - 4 + 9 = \square$

$41 - 8 + 5 = \square$

□ 안에 알맞은 수를 써넣으세요.

$16 + 7 - 6 = \square$

$18 + 8 - 7 = \square$

$27 + 6 - 5 = \square$

$18 + 6 - 4 = \square$

$23 + 3 - 5 = \square$

$27 + 6 - 8 = \square$

$42 + 8 - 5 = \square$

$25 + 9 - 4 = \square$

$16 + 5 - 4 = \square$

$37 + 7 - 6 = \square$

$26 + 7 - 3 = \square$

$31 + 4 - 7 = \square$

$16 + 5 - 8 = \square$

$26 + 7 - 2 = \square$

□ 안에 알맞은 수를 써넣으세요.

$13 - 2 + 6 = \square$

$25 - 7 + 2 = \square$

$34 - 5 + 5 = \square$

$31 - 6 + 3 = \square$

$27 - 6 + 4 = \square$

$37 - 4 + 9 = \square$

$40 - 7 + 8 = \square$

$26 - 5 + 8 = \square$

$44 - 5 + 2 = \square$

$24 - 6 + 3 = \square$

$25 - 3 + 7 = \square$

$27 - 8 + 4 = \square$

$42 - 4 + 6 = \square$

$52 - 5 + 2 = \square$

Note

소마의 마술같은 원리셈

정답

P 8 ~ 9

1 일차 덧셈과 뺄셈

□ 안에 알맞은 수를 써넣으세요.

18 - 5 = 13	31 - 2 = 29
18 + 5 = 23	31 + 2 = 33
22 - 8 = 14	27 - 6 = 21
22 + 8 = 30	27 + 6 = 33
33 - 4 = 29	29 - 9 = 20
33 + 4 = 37	29 + 9 = 38
40 - 3 = 37	42 - 7 = 35
40 + 3 = 43	42 + 7 = 49

1주 월 일

올바른 계산 결과를 찾아 선으로 그어 보세요.

27 + 8 — 35 / 19
31 - 6 — 26 / 25
33 + 9 — 36 / 42
50 - 7 — 43 / 47
60 + 8 — 68 / 62
32 + 8 — 42 / 40

P 10 ~ 11

2 일차 잘못된 식

다음 중 계산이 잘못된 식을 찾아 답을 바르게 고쳐 보세요.

36 + 5 = ~~42~~ 41	36 - 5 = (31)
27 + 8 = (35)	27 - 8 = ~~16~~ 19
56 + 7 = (63)	56 - 7 = ~~47~~ 49
43 + 9 = ~~51~~ 52	43 - 9 = (34)
67 + 8 = (75)	67 - 8 = ~~57~~ 59

10 소마셈 - A7

1주 월 일

다음 중 계산이 잘못된 식을 찾아 답을 바르게 고쳐 보세요.

29 + 8 = (37)	29 - 8 = ~~27~~ 21
46 + 9 = ~~54~~ 55	46 - 9 = (37)
73 + 5 = (78)	73 - 5 = ~~66~~ 68
57 + 4 = ~~60~~ 61	57 - 4 = (53)
83 + 8 = (91)	83 - 8 = ~~73~~ 75

1주 - 두 자리 수의 덧셈과 뺄셈 11

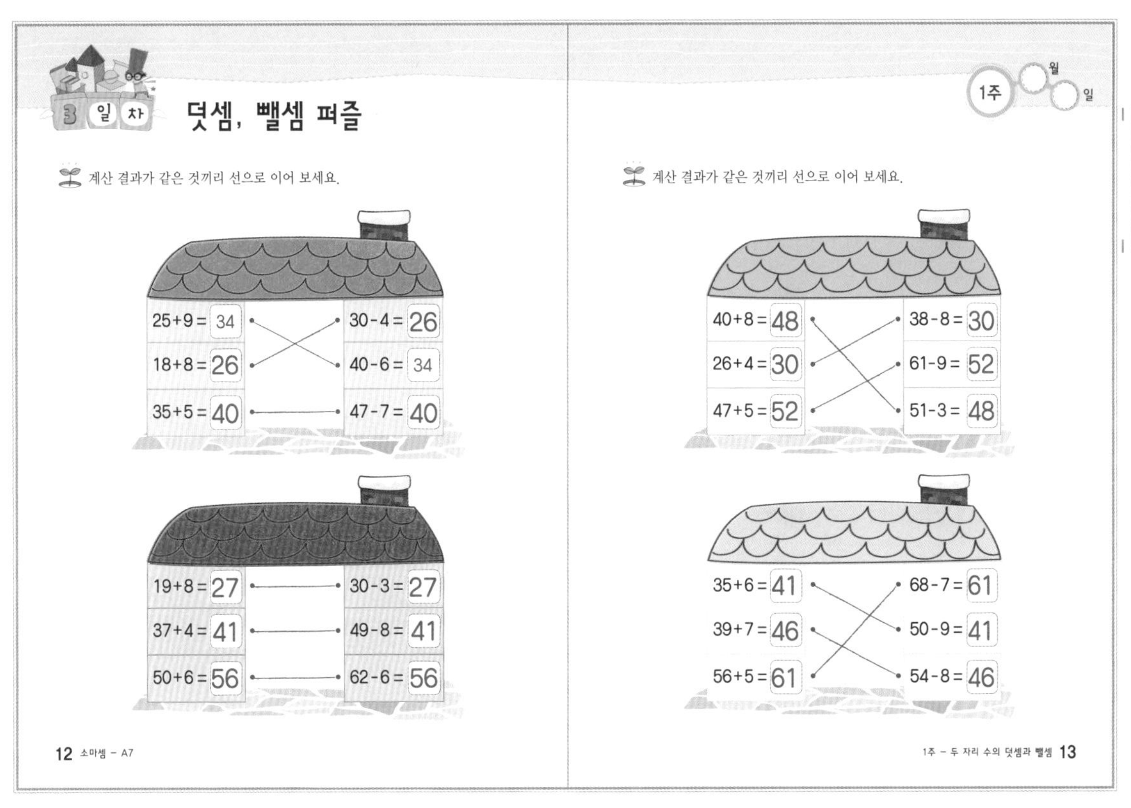

3 일차
덧셈, 뺄셈 퍼즐
계산 결과가 같은 것끼리 선으로 이어 보세요.
25+9= 34
30-4= 26
18+8= 26
40-6= 34
35+5= 40
47-7= 40
19+8= 27
30-3= 27
37+4= 41
49-8= 41
50+6= 56
62-6= 56
12 소마셈 - A7
1주
월
일
계산 결과가 같은 것끼리 선으로 이어 보세요.
40+8= 48
38-8= 30
26+4= 30
61-9= 52
47+5= 52
51-3= 48
35+6= 41
68-7= 61
39+7= 46
50-9= 41
56+5= 61
54-8= 46
1주 - 두 자리 수의 덧셈과 뺄셈 13
P 12 ~ 13

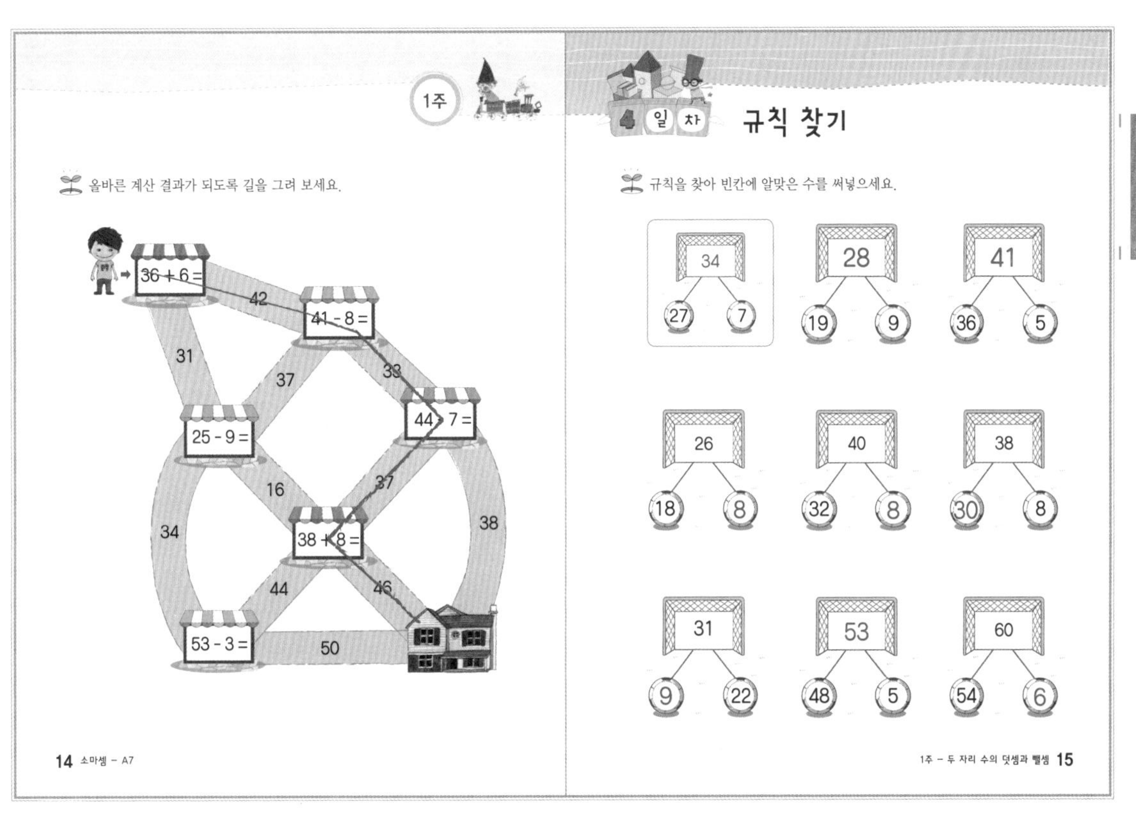

1주
올바른 계산 결과가 되도록 길을 그려 보세요.
36+6=
41-8=
44-7=
25-9=
38+8=
53-3=
42
31
37
33
16
37
34
38
44
46
50
14 소마셈 - A7
4 일차
규칙 찾기
규칙을 찾아 빈칸에 알맞은 수를 써넣으세요.
34
27
7
28
19
9
41
36
5
26
18
8
40
32
8
38
30
8
31
9
22
53
48
5
60
54
6
1주 - 두 자리 수의 덧셈과 뺄셈 15
P 14 ~ 15

P 16 ~ 17

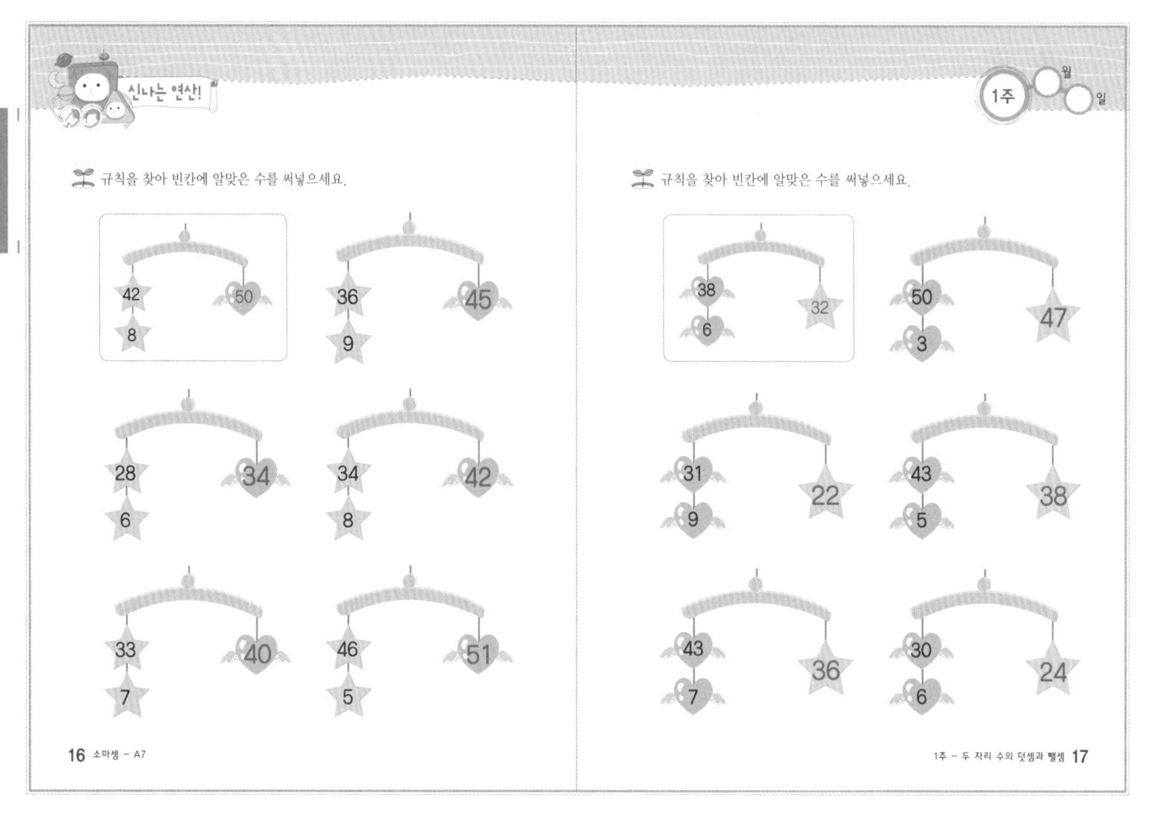
신나는 연산!

1주 월 일

규칙을 찾아 빈칸에 알맞은 수를 써넣으세요.

42, 8 — 50
36, 9 — 45
28, 6 — 34
34, 8 — 42
33, 7 — 40
46, 5 — 51

규칙을 찾아 빈칸에 알맞은 수를 써넣으세요.

38, 6 — 32
50, 3 — 47
31, 9 — 22
43, 5 — 38
43, 7 — 36
30, 6 — 24

16 소마셈 - A7

1주 - 두 자리 수의 덧셈과 뺄셈 17

P 18 ~ 19

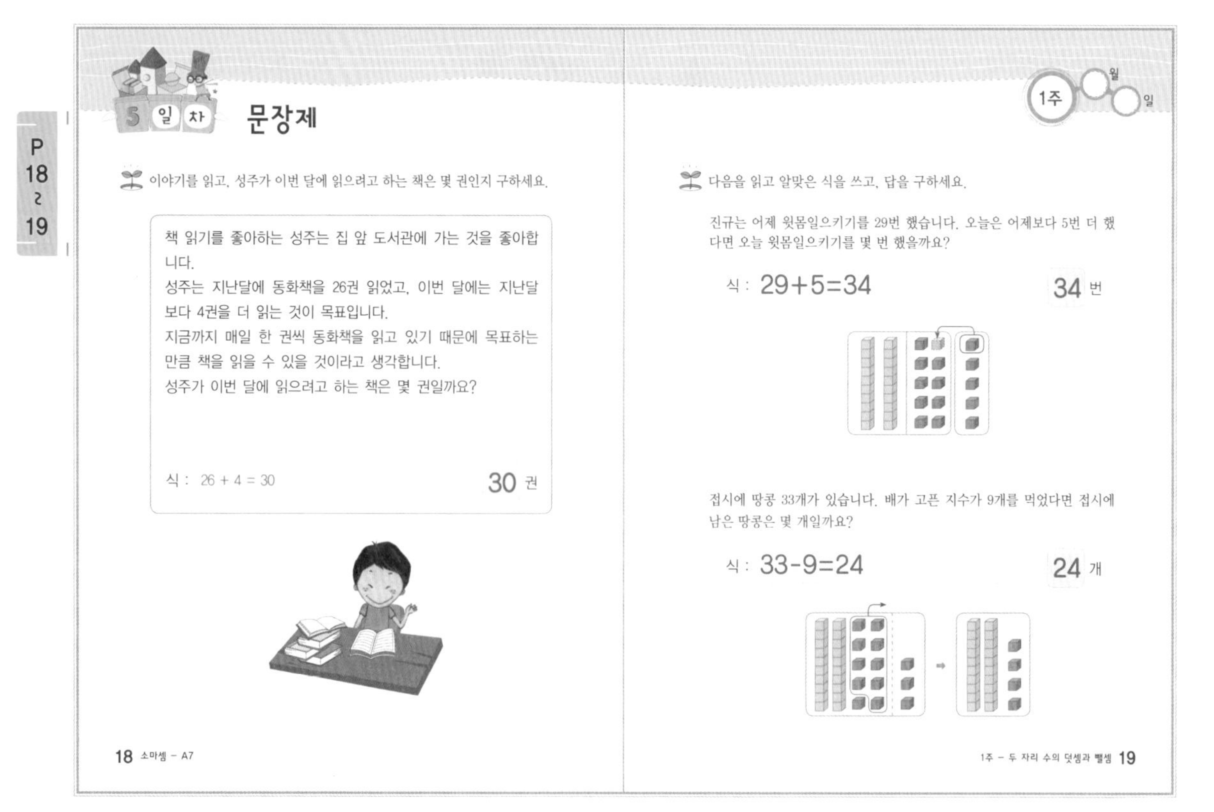
5 일 차 문장제

1주 월 일

이야기를 읽고, 성주가 이번 달에 읽으려고 하는 책은 몇 권인지 구하세요.

책 읽기를 좋아하는 성주는 집 앞 도서관에 가는 것을 좋아합니다.
성주는 지난달에 동화책을 26권 읽었고, 이번 달에는 지난달보다 4권을 더 읽는 것이 목표입니다.
지금까지 매일 한 권씩 동화책을 읽고 있기 때문에 목표하는 만큼 책을 읽을 수 있을 것이라고 생각합니다.
성주가 이번 달에 읽으려고 하는 책은 몇 권일까요?

식 : 26 + 4 = 30 30 권

다음을 읽고 알맞은 식을 쓰고, 답을 구하세요.

진규는 어제 윗몸일으키기를 29번 했습니다. 오늘은 어제보다 5번 더 했다면 오늘 윗몸일으키기를 몇 번 했을까요?

식 : 29+5=34 34 번

접시에 땅콩 33개가 있습니다. 배가 고픈 지수가 9개를 먹었다면 접시에 남은 땅콩은 몇 개일까요?

식 : 33-9=24 24 개

18 소마셈 - A7

1주 - 두 자리 수의 덧셈과 뺄셈 19

신나는 연산!

1주

P 20 ~ 21

다음을 읽고 알맞은 식을 쓰고, 답을 구하세요.

하늘에 까치 32마리가 있습니다. 잠시 후 참새 9마리가 더 날아왔다면 하늘에 있는 까치와 참새는 모두 몇 마리일까요?

식 : 32+9=41 　 41 마리

영기는 53장의 우표를 모았습니다. 그 중 7장을 잃어버렸다면 영기가 가진 우표는 몇 장일까요?

식 : 53-7=46 　 46 장

경진이는 빨간색 색종이와 노란색 색종이를 모두 43장 가지고 있습니다. 그 중 빨간색 색종이 6장을 써 버렸다면 남은 색종이는 몇 장일까요?

식 : 43-6=37 　 37 장

다음을 읽고 알맞은 식을 쓰고, 답을 구하세요.

버스에 사람이 29명 타고 있습니다. 다음 정류소에서 9명이 더 탔다면 버스에 타고 있는 사람은 모두 몇 명일까요?

식 : 29+9=38 　 38 명

개구리 52마리가 연못 안에 있습니다. 그 중 7마리가 연못 밖으로 나갔다면 연못 안에 남아있는 개구리는 몇 마리일까요?

식 : 52-7=45 　 45 마리

수희네 반 친구들이 공원으로 소풍을 가려고 합니다. 남학생은 33명이 가고, 여학생은 남학생보다 9명이 더 간다면 소풍을 가는 여학생은 모두 몇 명일까요?

식 : 33+9=42 　 42 명

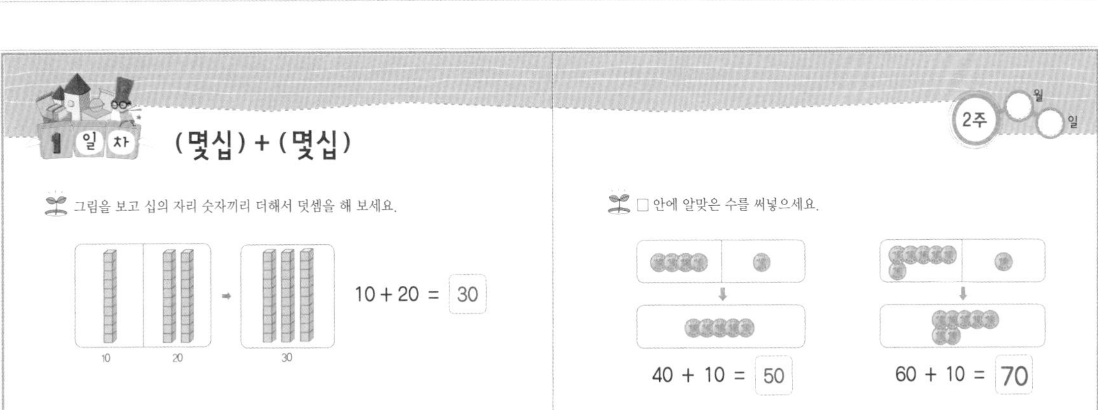

1 일 차 　 (몇십) + (몇십)

2주 　 월 　 일

P 24 ~ 25

그림을 보고 십의 자리 숫자끼리 더해서 덧셈을 해 보세요.

10 + 20 = 30

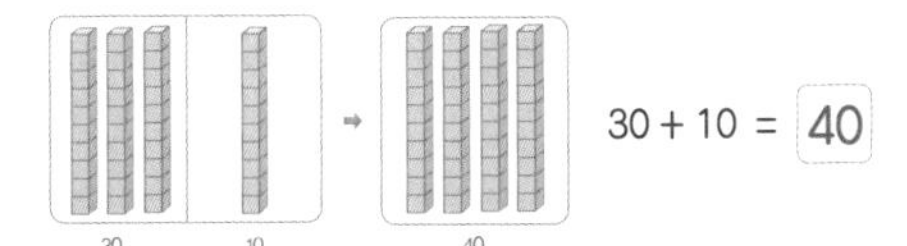

30 + 10 = 40

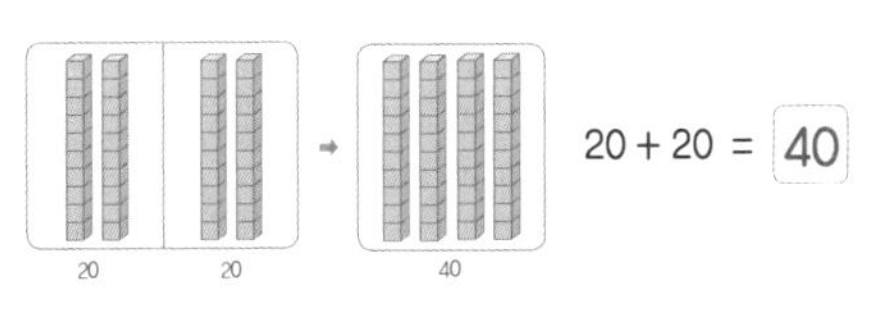

20 + 20 = 40

□ 안에 알맞은 수를 써넣으세요.

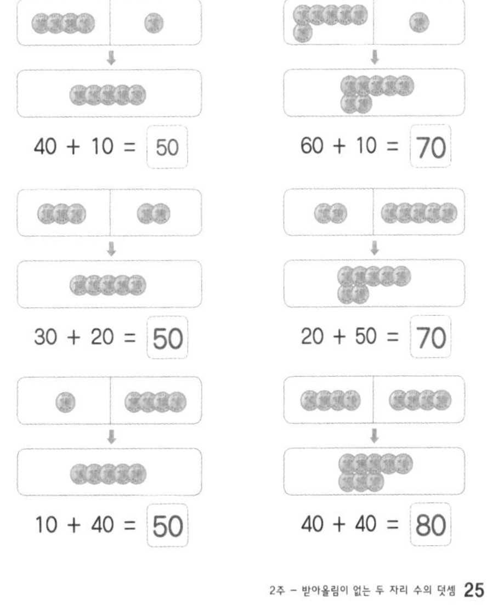

40 + 10 = 50

60 + 10 = 70

30 + 20 = 50

20 + 50 = 70

10 + 40 = 50

40 + 40 = 80

P 26 ~ 27

□ 안에 알맞은 수를 써넣으세요.

20 + 30 = 50

30 + 30 = 60

40 + 20 = 60

20 + 20 = 40

50 + 10 = 60

10 + 30 = 40

60 + 20 = 80

70 + 10 = 80

70 + 20 = 90

30 + 40 = 70

20 + 50 = 70

80 + 10 = 90

2 일차

(몇십 몇) + (몇십)

그림을 보고 각 자리의 숫자를 더해서 덧셈을 해 보세요.

14 + 30 = 44

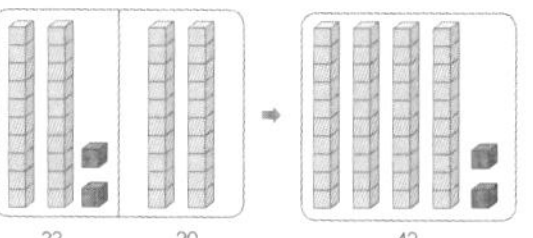

22 + 20 = 42

20 + 18 = 38

P 28 ~ 29

신나는 연산!

□ 안에 알맞은 수를 써넣으세요.

34 + 10 = 44

28 + 20 = 48

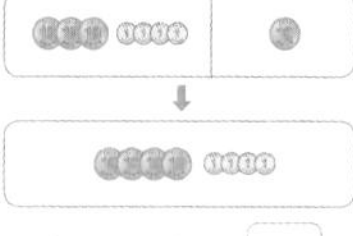

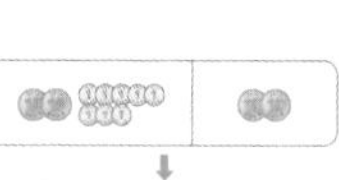
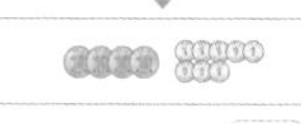
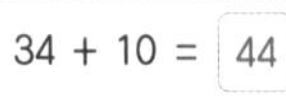

24 + 30 = 54

17 + 50 = 67

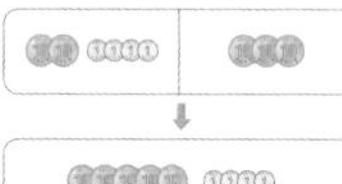

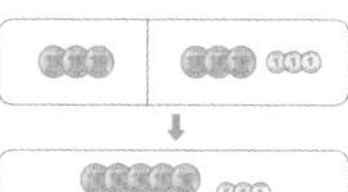
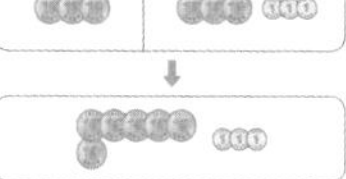

30 + 33 = 63

40 + 35 = 75

□ 안에 알맞은 수를 써넣으세요.

21 + 30 = 51

30 + 16 = 46

34 + 20 = 54

30 + 28 = 58

17 + 10 = 27

10 + 29 = 39

47 + 20 = 67

50 + 34 = 84

65 + 20 = 85

30 + 45 = 75

24 + 50 = 74

70 + 18 = 88

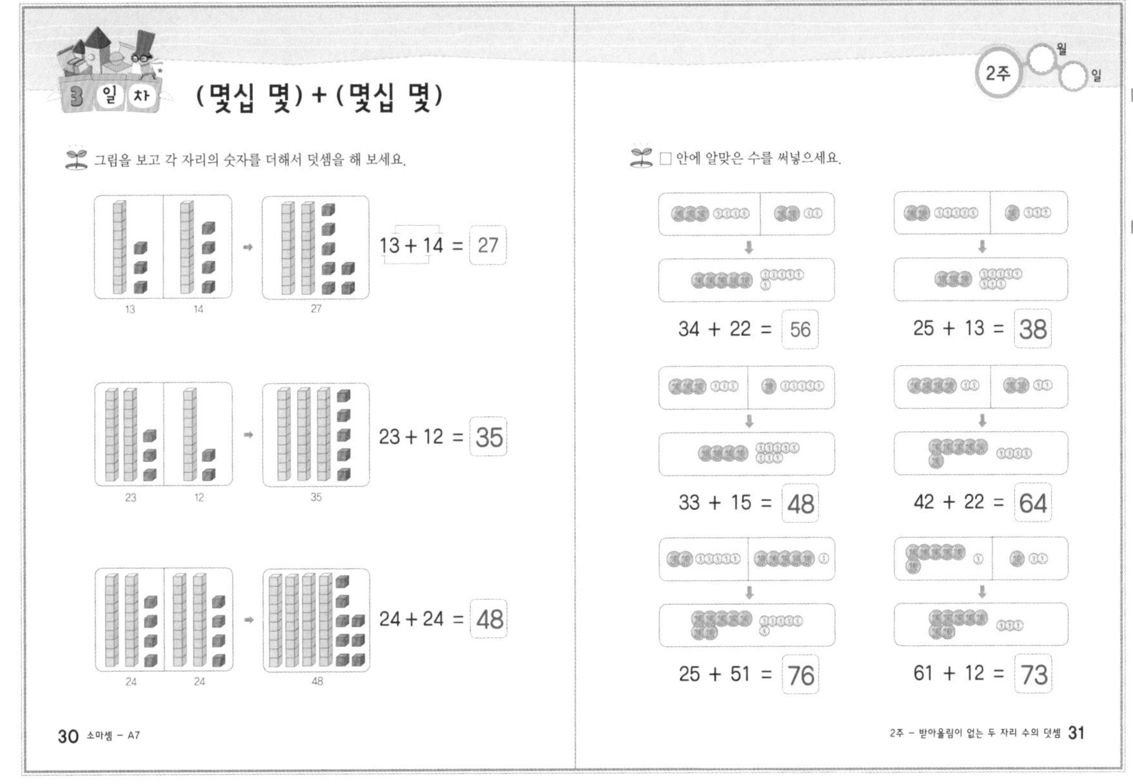
3 일차
(몇십 몇)+(몇십 몇)
그림을 보고 각 자리의 숫자를 더해서 덧셈을 해 보세요.
13 + 14 = 27
23 + 12 = 35
24 + 24 = 48
2주
□ 안에 알맞은 수를 써넣으세요.
34 + 22 = 56
25 + 13 = 38
33 + 15 = 48
42 + 22 = 64
25 + 51 = 76
61 + 12 = 73
30 소마셈 – A7
2주 – 받아올림이 없는 두 자리 수의 덧셈 31

P 30 ~ 31

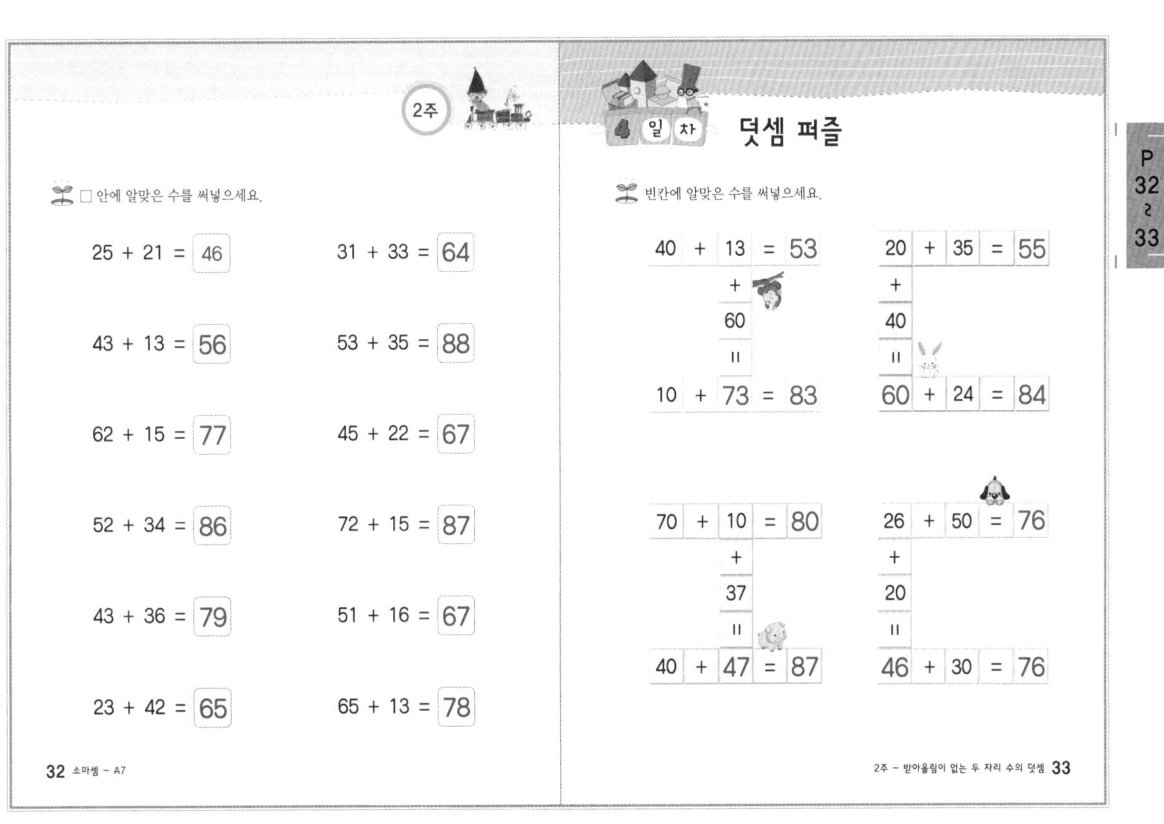
2주
□ 안에 알맞은 수를 써넣으세요.
25 + 21 = 46
31 + 33 = 64
43 + 13 = 56
53 + 35 = 88
62 + 15 = 77
45 + 22 = 67
52 + 34 = 86
72 + 15 = 87
43 + 36 = 79
51 + 16 = 67
23 + 42 = 65
65 + 13 = 78
4 일차
덧셈 퍼즐
빈칸에 알맞은 수를 써넣으세요.
40 + 13 = 53
60
10 + 73 = 83
20 + 35 = 55
40
60 + 24 = 84
70 + 10 = 80
37
40 + 47 = 87
26 + 50 = 76
20
46 + 30 = 76
32 소마셈 – A7
2주 – 받아올림이 없는 두 자리 수의 덧셈 33
P 32 ~ 33

정답

P 34 ~ 35

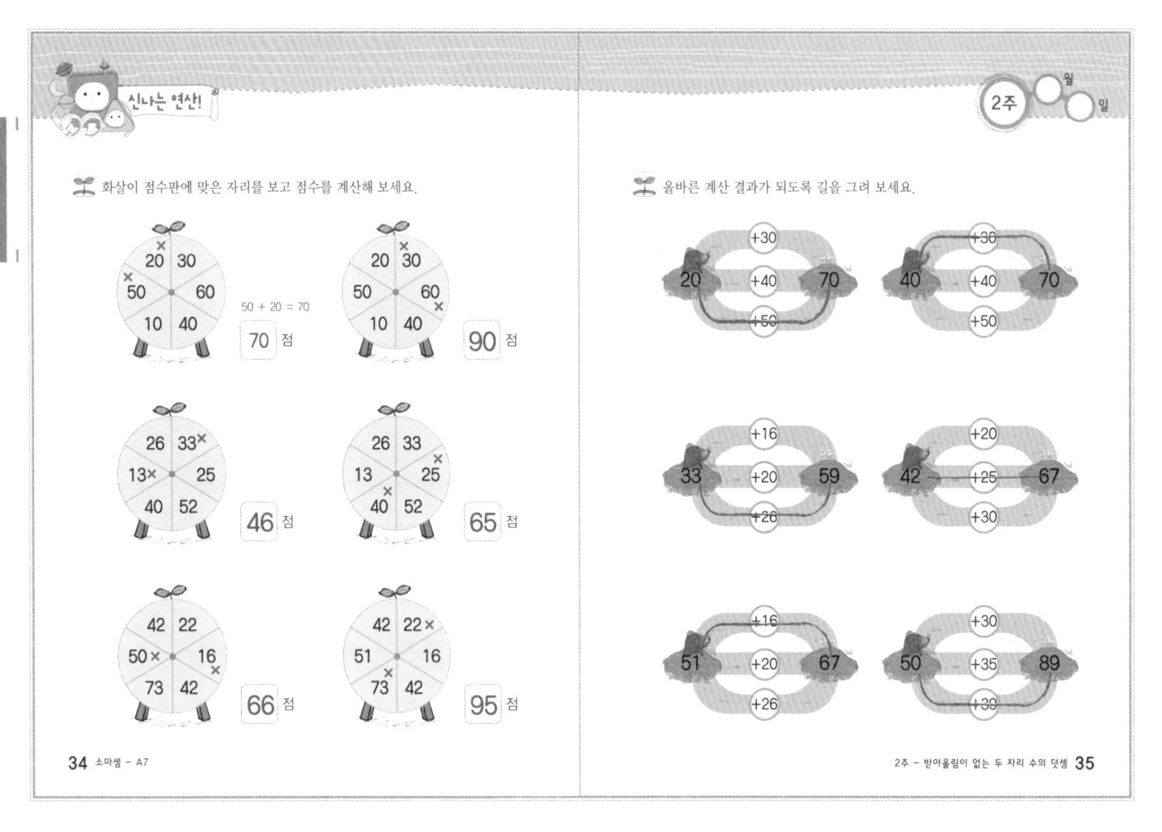
신나는 연산!
화살이 점수판에 맞은 자리를 보고 점수를 계산해 보세요.
50 + 20 = 70
70 점
90 점
46 점
65 점
66 점
95 점
34 소마셈 – A7
2주 월 일
올바른 계산 결과가 되도록 길을 그려 보세요.
2주 – 받아올림이 없는 두 자리 수의 덧셈 35

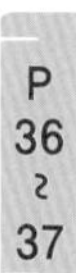
P 36 ~ 37

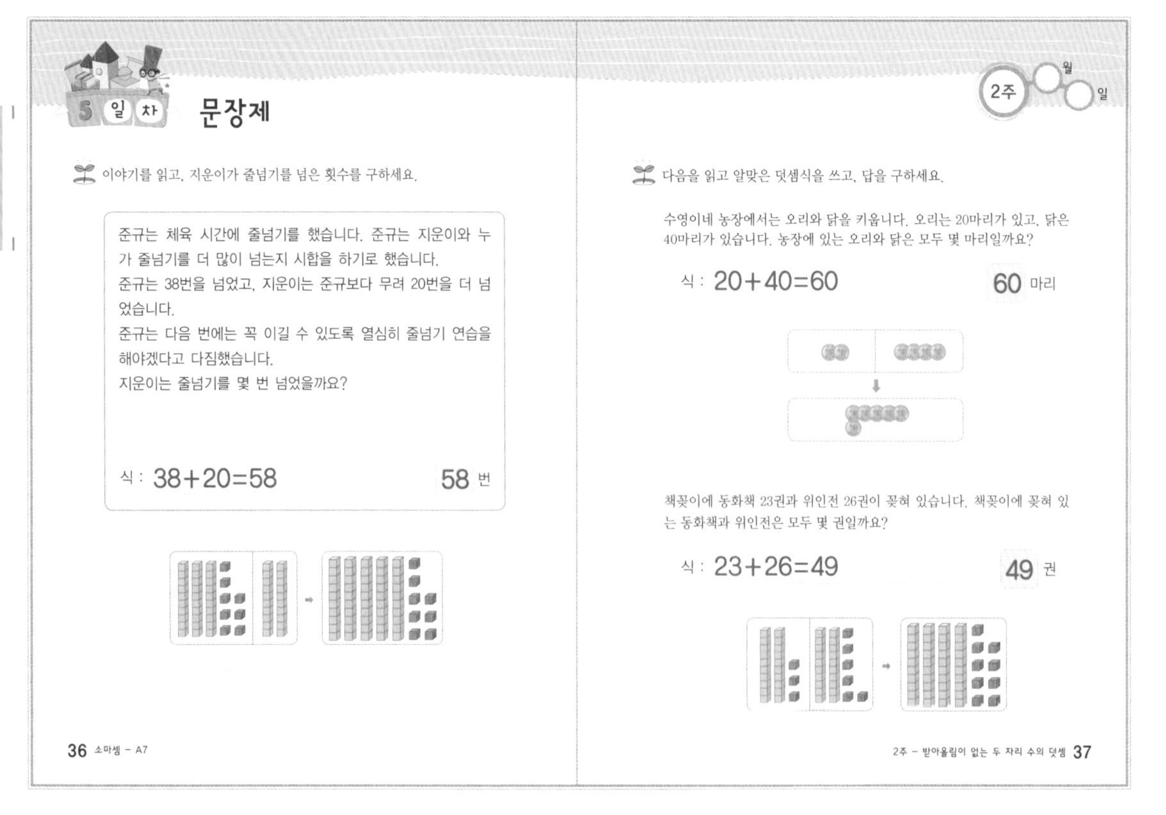
5일차 문장제
이야기를 읽고, 지운이가 줄넘기를 넘은 횟수를 구하세요.
준규는 체육 시간에 줄넘기를 했습니다. 준규는 지운이와 누가 줄넘기를 더 많이 넘는지 시합을 하기로 했습니다.
준규는 38번을 넘었고, 지운이는 준규보다 무려 20번을 더 넘었습니다.
준규는 다음 번에는 꼭 이길 수 있도록 열심히 줄넘기 연습을 해야겠다고 다짐했습니다.
지운이는 줄넘기를 몇 번 넘었을까요?
식 : 38+20=58
58 번
36 소마셈 – A7
2주 월 일
다음을 읽고 알맞은 덧셈식을 쓰고, 답을 구하세요.
수영이네 농장에서는 오리와 닭을 키웁니다. 오리는 20마리가 있고, 닭은 40마리가 있습니다. 농장에 있는 오리와 닭은 모두 몇 마리일까요?
식 : 20+40=60
60 마리
책꽂이에 동화책 23권과 위인전 26권이 꽂혀 있습니다. 책꽂이에 꽂혀 있는 동화책과 위인전은 모두 몇 권일까요?
식 : 23+26=49
49 권
2주 – 받아올림이 없는 두 자리 수의 덧셈 37

P 38 ~ 39

다음을 읽고 알맞은 덧셈식을 쓰고, 답을 구하세요.

우성이는 공책을 34권 가지고 있습니다. 생일 선물로 공책을 24권 더 받았다면 공책은 모두 몇 권일까요?

식 : 34+24=58 58 권

선규는 어제 줄넘기를 40번 넘었고, 오늘은 32번 넘었습니다. 어제와 오늘 선규가 넘은 줄넘기 횟수는 모두 몇 번일까요?

식 : 40+32=72 72 번

운동장에 남학생이 70명, 여학생이 20명 있습니다. 운동장에 있는 학생은 모두 몇 명일까요?

식 : 70+20=90 90 명

다음을 읽고 알맞은 덧셈식을 쓰고, 답을 구하세요.

승주의 엄마는 41살입니다. 아빠는 엄마보다 10살이 더 많습니다. 승주의 아빠는 몇 살일까요?

식 : 41+10=51 51 살

흰색 바둑돌 33개가 있습니다. 검은색 바둑돌은 흰색 바둑돌보다 12개가 더 많습니다. 검은색 바둑돌은 몇 개일까요?

식 : 33+12=45 45 개

과수원에 사과나무 24그루와 배나무 52그루가 있습니다. 과수원에 있는 사과나무와 배나무는 모두 몇 그루일까요?

식 : 24+52=76 76 그루

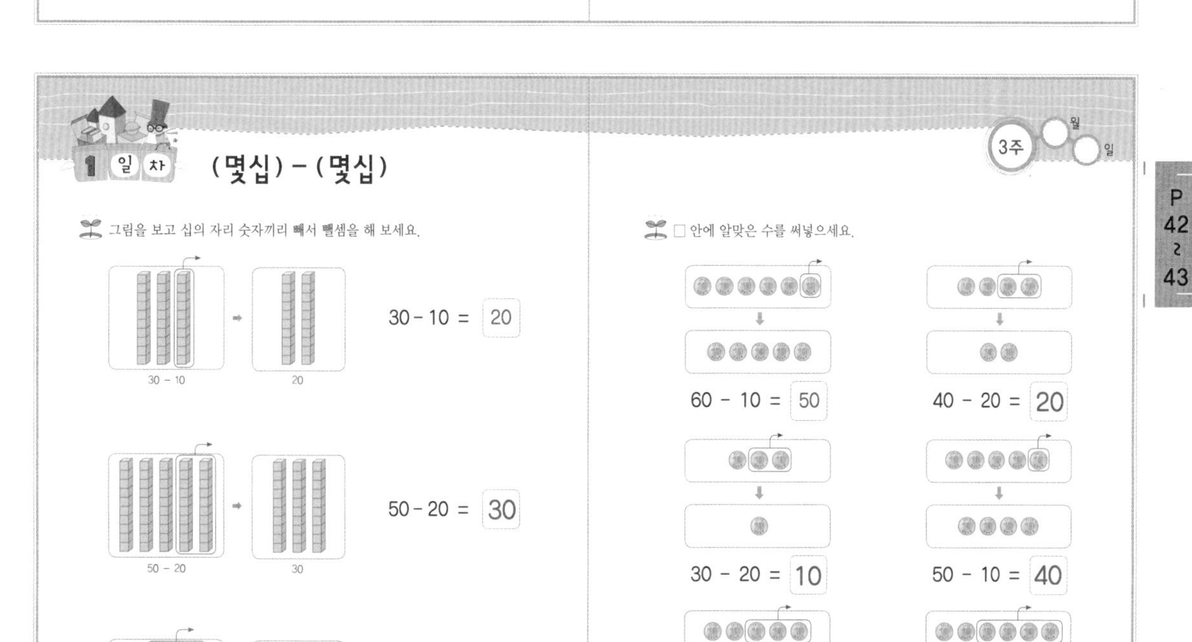
1 일 차 (몇십) - (몇십)

3주 월 일

P 42 ~ 43

그림을 보고 십의 자리 숫자끼리 빼서 뺄셈을 해 보세요.

30 - 10 → 20 : 30 - 10 = 20

50 - 20 → 30 : 50 - 20 = 30

40 - 30 → 10 : 40 - 30 = 10

42 소마셈 - A7

□ 안에 알맞은 수를 써넣으세요.

60 - 10 = 50

40 - 20 = 20

30 - 20 = 10

50 - 10 = 40

50 - 30 = 20

60 - 40 = 20

3주 - 받아내림이 없는 두 자리 수의 뺄셈 43

P 44 ~ 45

□ 안에 알맞은 수를 써넣으세요.

40 - 20 = 20

30 - 10 = 20

30 - 10 = 20

70 - 20 = 50

50 - 40 = 10

40 - 30 = 10

60 - 20 = 40

80 - 50 = 30

70 - 60 = 10

60 - 30 = 30

70 - 40 = 30

80 - 20 = 60

2일차 (몇십 몇) - (몇십)

그림을 보고 각 자리의 숫자를 빼서 뺄셈을 해 보세요.

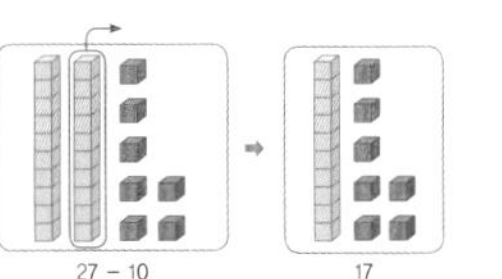

27 - 10 = 17

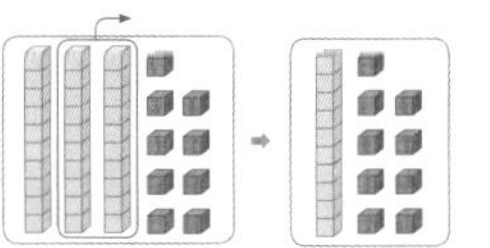

39 - 20 = 19

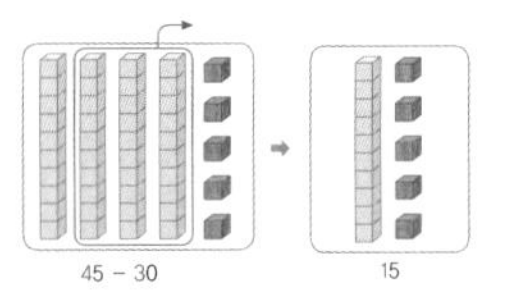

45 - 30 = 15

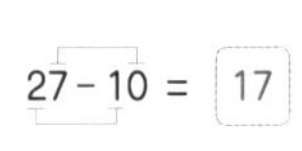

P 46 ~ 47

□ 안에 알맞은 수를 써넣으세요.

43 - 10 = 33

52 - 20 = 32

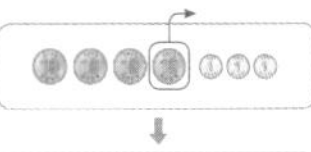

37 - 30 = 7

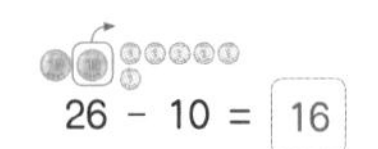

29 - 10 = 19

53 - 40 = 13

44 - 30 = 14

3주 월 일

□ 안에 알맞은 수를 써넣으세요.

26 - 10 = 16

34 - 20 = 14

48 - 10 = 38

48 - 40 = 8

55 - 30 = 25

51 - 20 = 31

28 - 20 = 8

73 - 40 = 33

64 - 40 = 24

45 - 30 = 15

57 - 50 = 7

66 - 40 = 26

P 48 ~ 49

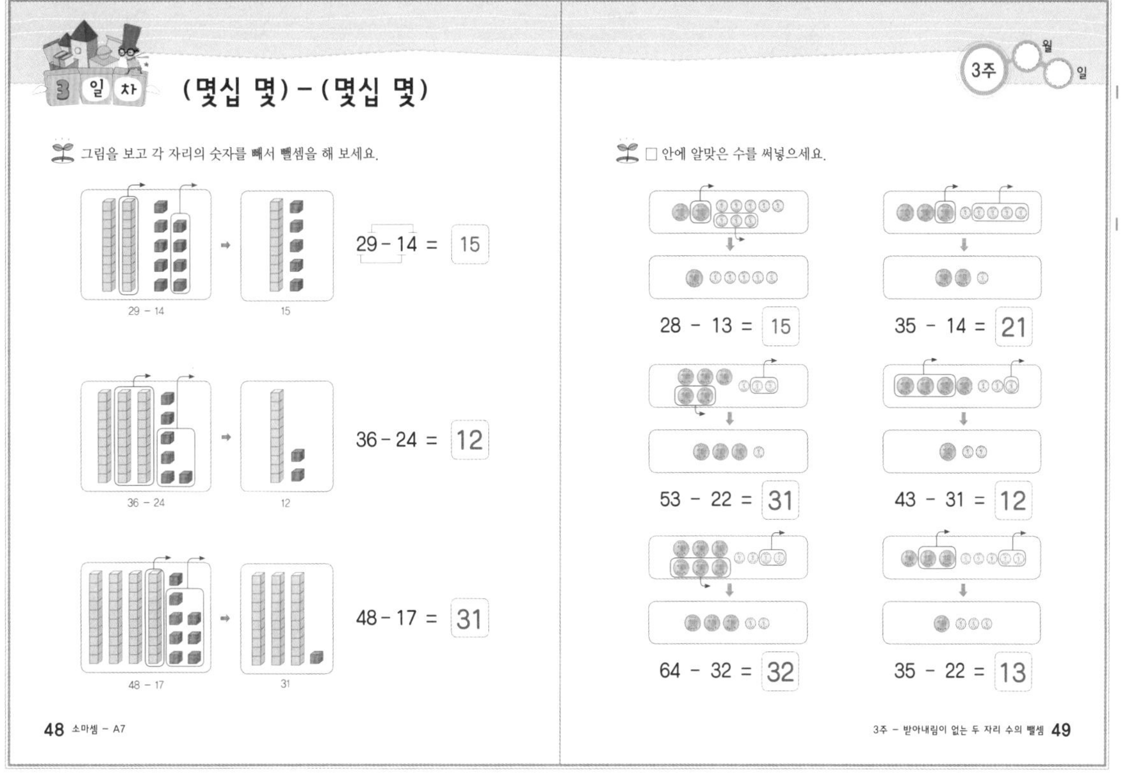
3 일차 (몇십 몇) - (몇십 몇)

그림을 보고 각 자리의 숫자를 빼서 뺄셈을 해 보세요.

29 - 14 = 15

36 - 24 = 12

48 - 17 = 31

48 소마셈 - A7

3주 월 일

□ 안에 알맞은 수를 써넣으세요.

28 - 13 = 15

35 - 14 = 21

53 - 22 = 31

43 - 31 = 12

64 - 32 = 32

35 - 22 = 13

3주 - 받아내림이 없는 두 자리 수의 뺄셈 49

P 50 ~ 51

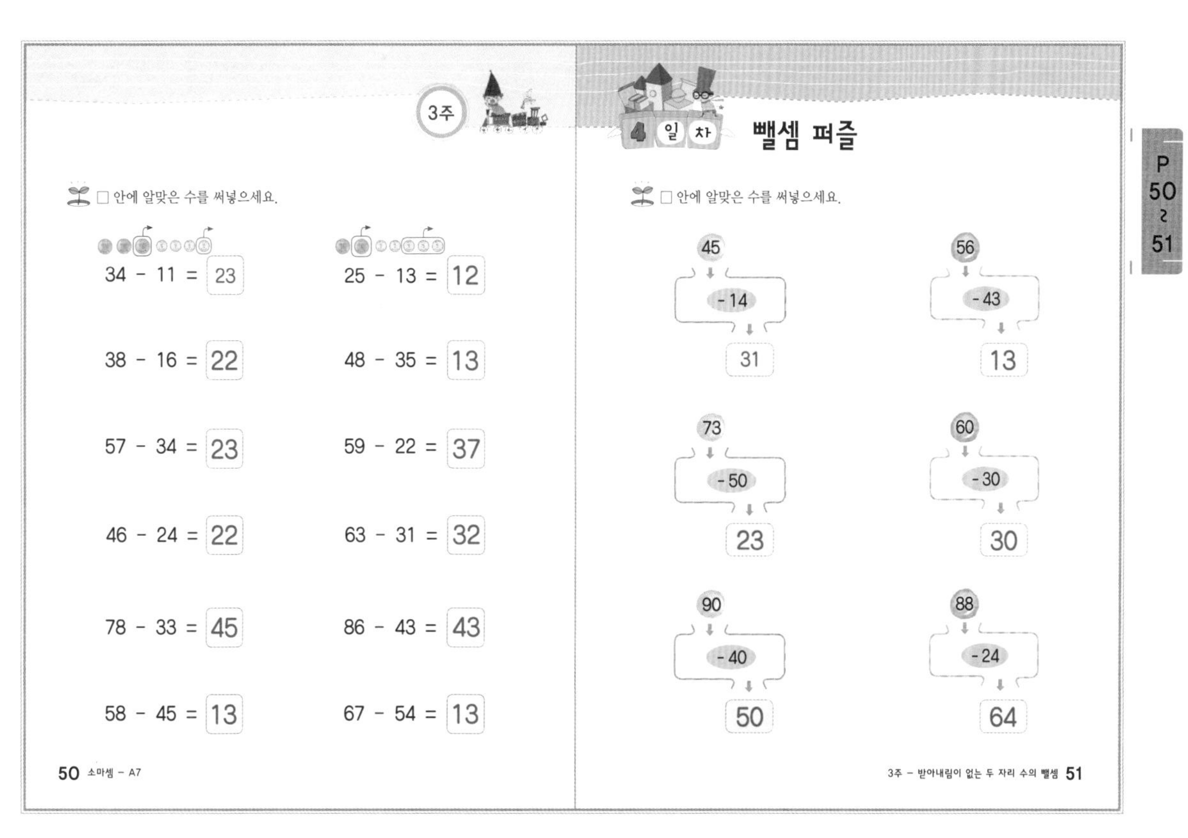
3주

□ 안에 알맞은 수를 써넣으세요.

34 - 11 = 23

25 - 13 = 12

38 - 16 = 22

48 - 35 = 13

57 - 34 = 23

59 - 22 = 37

46 - 24 = 22

63 - 31 = 32

78 - 33 = 45

86 - 43 = 43

58 - 45 = 13

67 - 54 = 13

50 소마셈 - A7

4 일차 뺄셈 퍼즐

□ 안에 알맞은 수를 써넣으세요.

45 → -14 → 31

56 → -43 → 13

73 → -50 → 23

60 → -30 → 30

90 → -40 → 50

88 → -24 → 64

3주 - 받아내림이 없는 두 자리 수의 뺄셈 51

P 52 ~ 53

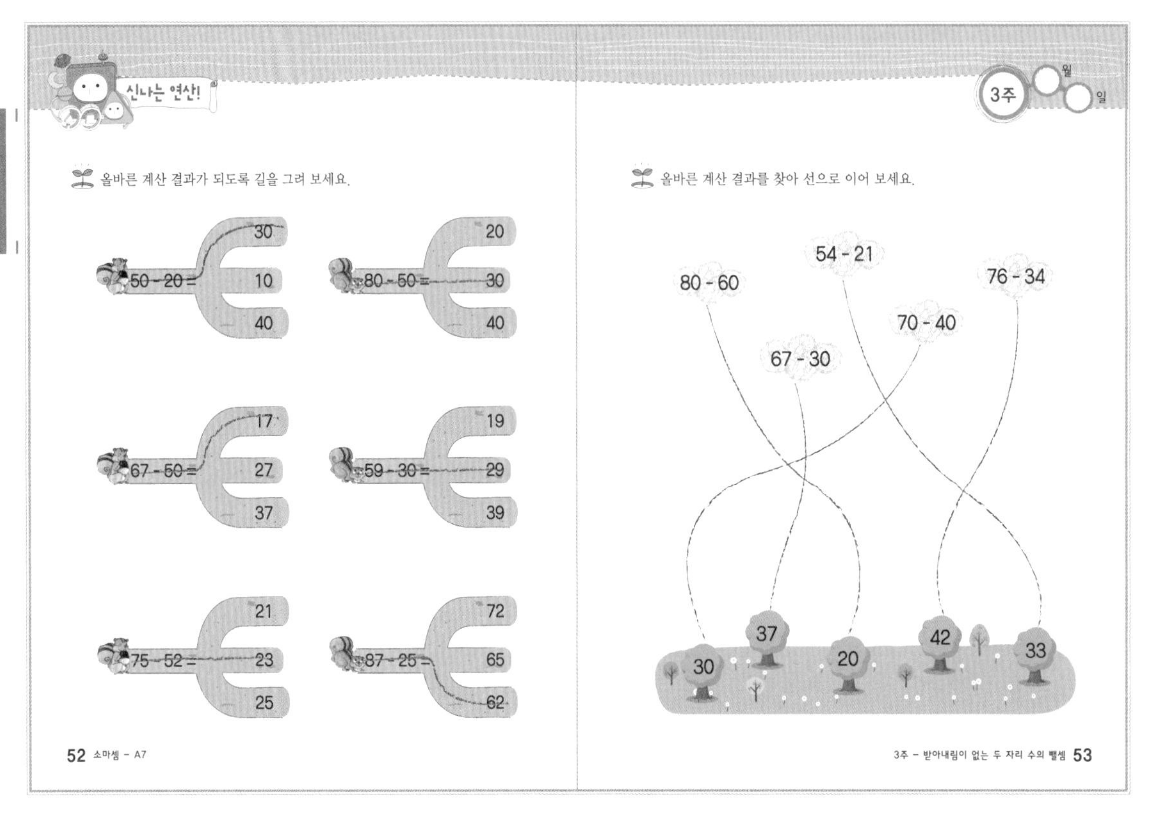

신나는 연산!

올바른 계산 결과가 되도록 길을 그려 보세요.

50 - 20 = 30 / 10 / 40

80 - 50 = 20 / 30 / 40

67 - 50 = 17 / 27 / 37

59 - 30 = 19 / 29 / 39

75 - 52 = 21 / 23 / 25

87 - 25 = 72 / 65 / 62

52 소마셈 - A7

3주 월 일

올바른 계산 결과를 찾아 선으로 이어 보세요.

80 - 60, 54 - 21, 76 - 34, 70 - 40, 67 - 30

30, 37, 20, 42, 33

3주 - 받아내림이 없는 두 자리 수의 뺄셈 53

P 54 ~ 55

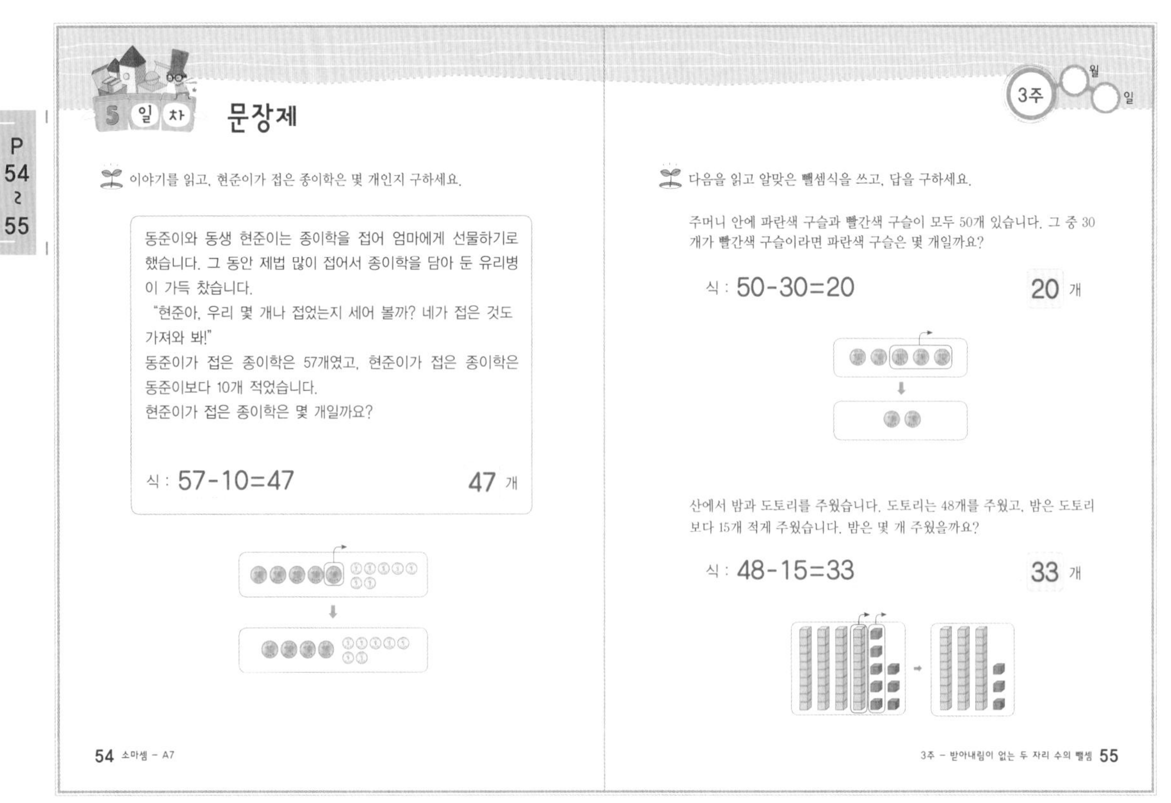

5 일차 문장제

이야기를 읽고, 현준이가 접은 종이학은 몇 개인지 구하세요.

동준이와 동생 현준이는 종이학을 접어 엄마에게 선물하기로 했습니다. 그 동안 제법 많이 접어서 종이학을 담아 둔 유리병이 가득 찼습니다.
"현준아, 우리 몇 개나 접었는지 세어 볼까? 네가 접은 것도 가져와 봐!"
동준이가 접은 종이학은 57개였고, 현준이가 접은 종이학은 동준이보다 10개 적었습니다.
현준이가 접은 종이학은 몇 개일까요?

식 : 57-10=47 47 개

54 소마셈 - A7

3주 월 일

다음을 읽고 알맞은 뺄셈식을 쓰고, 답을 구하세요.

주머니 안에 파란색 구슬과 빨간색 구슬이 모두 50개 있습니다. 그 중 30개가 빨간색 구슬이라면 파란색 구슬은 몇 개일까요?

식 : 50-30=20 20 개

산에서 밤과 도토리를 주웠습니다. 도토리는 48개를 주웠고, 밤은 도토리보다 15개 적게 주웠습니다. 밤은 몇 개 주웠을까요?

식 : 48-15=33 33 개

3주 - 받아내림이 없는 두 자리 수의 뺄셈 55

다음을 읽고 알맞은 뺄셈식을 쓰고, 답을 구하세요.

도서관에 60명의 학생이 책을 보고 있습니다. 몇 시간 후 40명이 집으로 돌아갔다면 도서관에 남아 책을 보는 학생은 몇 명일까요?

식 : 60-40=20 20 명

버스에 37명이 타고 있습니다. 다음 정류소에서 14명이 내렸다면 버스에 남아 있는 사람은 몇 명일까요?

식 : 37-14=23 23 명

민호는 색종이 56장을 가지고 있습니다. 친구에게 20장을 주었다면 민호에게 남은 색종이는 몇 장일까요?

식 : 56-20=36 36 장

3주

다음을 읽고 알맞은 뺄셈식을 쓰고, 답을 구하세요.

농장에 돼지와 오리가 있습니다. 돼지가 43마리 있고, 오리는 돼지보다 20마리 적게 있습니다. 농장에 있는 오리는 몇 마리일까요?

식 : 43-20=23 23 마리

수경이네 집에서 59마리의 소를 키우고 있습니다. 그 중 26마리를 옆집 삼촌 댁에서 키우기로 했습니다. 수경이네 집에 남은 소는 몇 마리일까요?

식 : 59-26=33 33 마리

주희의 할머니는 70살입니다. 아빠는 할머니보다 30살이 적습니다. 주희의 아빠는 몇 살일까요?

식 : 70-30=40 40 살

1일차 세 수의 덧셈

그림을 보고 □ 안에 알맞은 수를 써넣으세요.

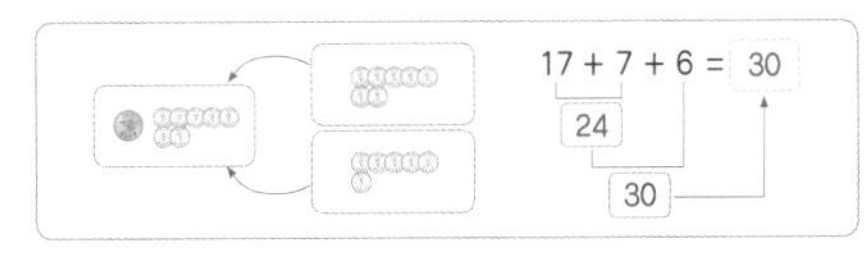
17 + 7 + 6 = 30 (24, 30)

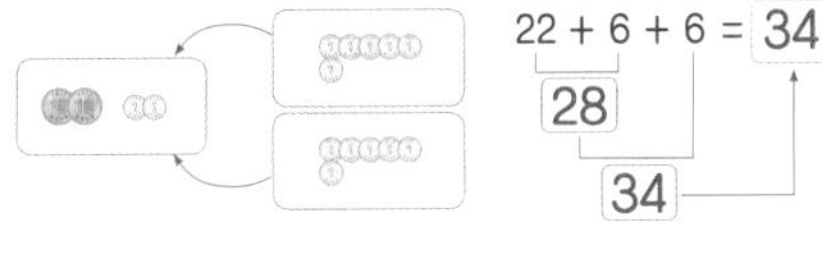
22 + 6 + 6 = 34 (28, 34)

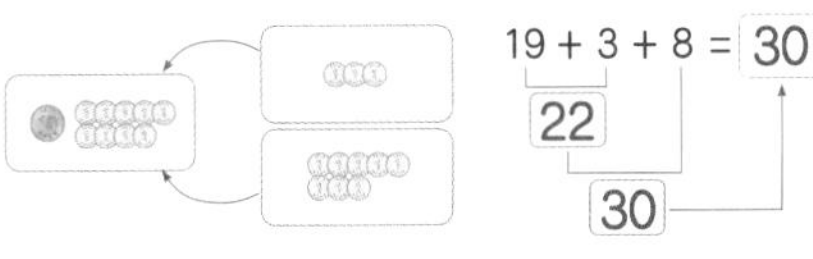
19 + 3 + 8 = 30 (22, 30)

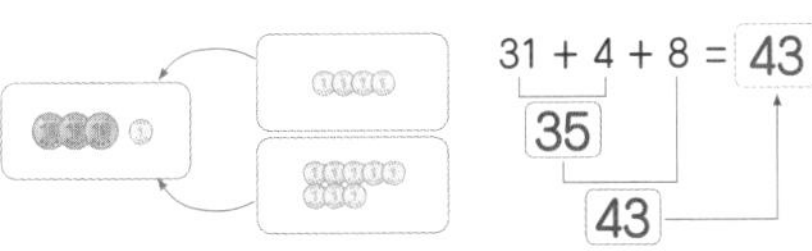
31 + 4 + 8 = 43 (35, 43)

□ 안에 알맞은 수를 써넣어 차례로 계산하세요.

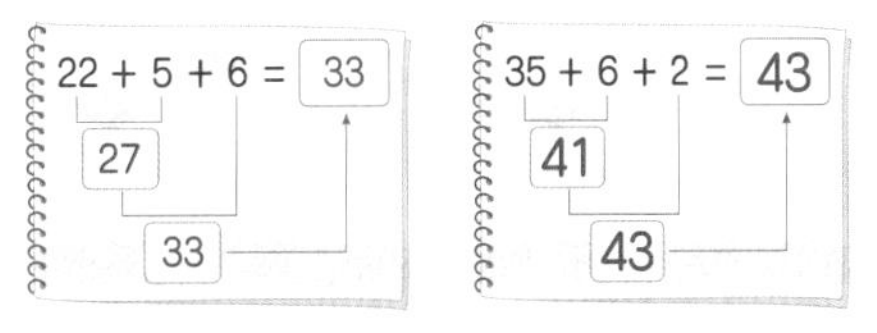
22 + 5 + 6 = 33 (27, 33)

35 + 6 + 2 = 43 (41, 43)

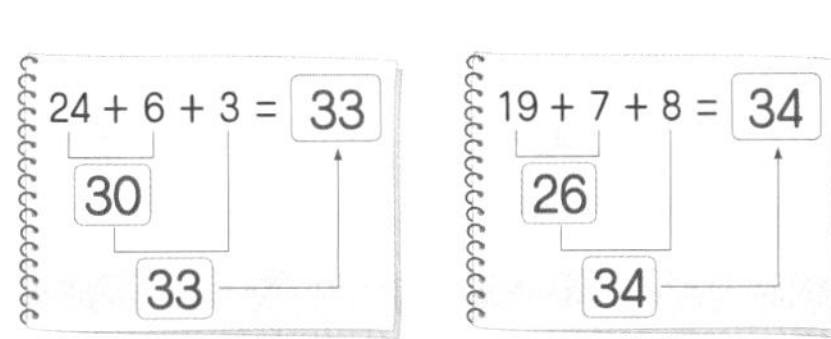
24 + 6 + 3 = 33 (30, 33)

19 + 7 + 8 = 34 (26, 34)

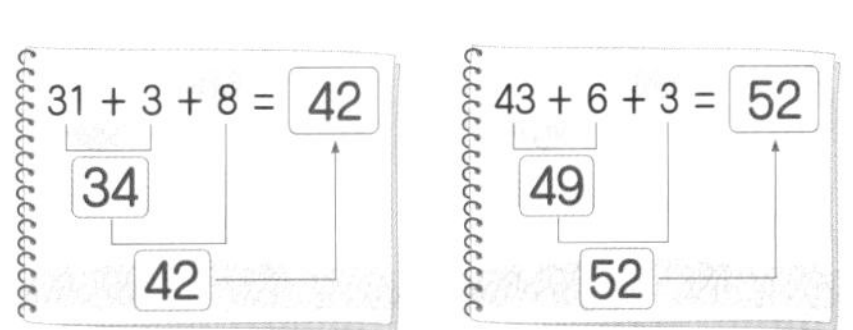
31 + 3 + 8 = 42 (34, 42)

43 + 6 + 3 = 52 (49, 52)

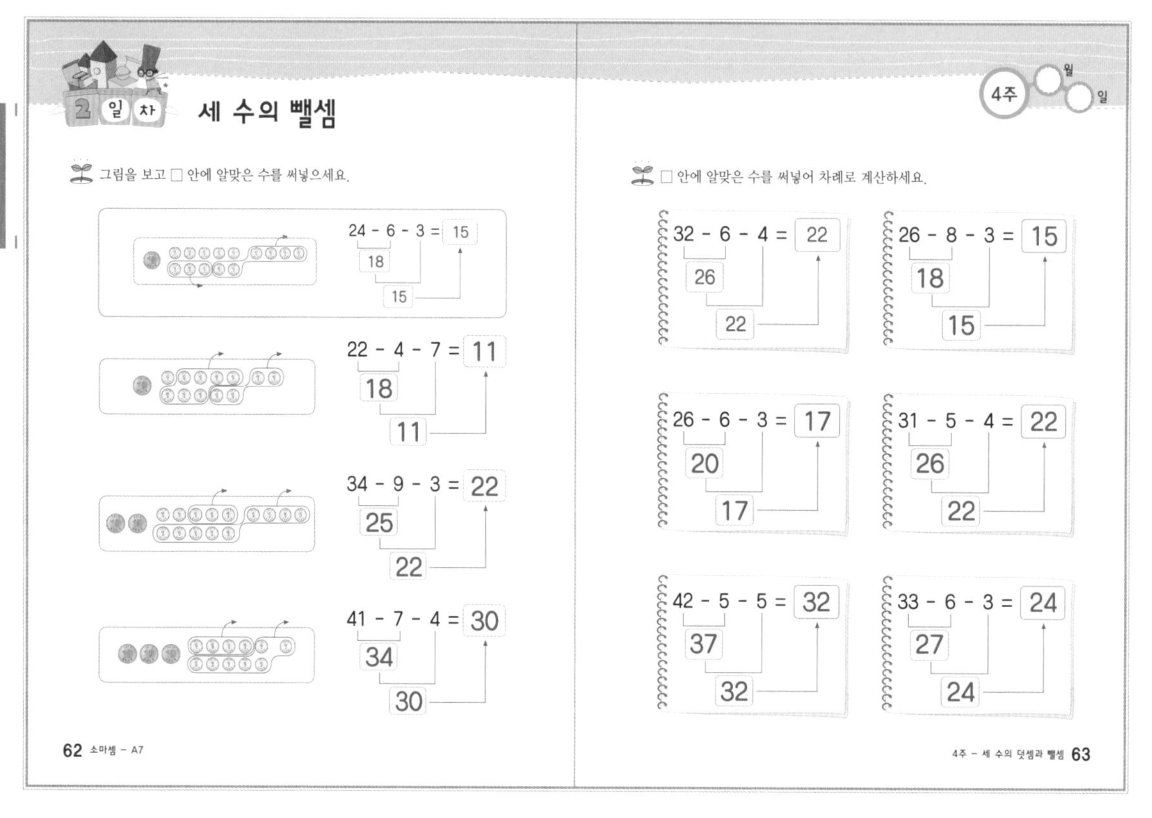

2일차 세 수의 뺄셈

그림을 보고 □ 안에 알맞은 수를 써넣으세요.

24 - 6 - 3 = 15 (24 - 6 = 18, 18 - 3 = 15)

22 - 4 - 7 = 11 (22 - 4 = 18, 18 - 7 = 11)

34 - 9 - 3 = 22 (34 - 9 = 25, 25 - 3 = 22)

41 - 7 - 4 = 30 (41 - 7 = 34, 34 - 4 = 30)

4주 월 일

□ 안에 알맞은 수를 써넣어 차례로 계산하세요.

32 - 6 - 4 = 22 (26, 22)

26 - 8 - 3 = 15 (18, 15)

26 - 6 - 3 = 17 (20, 17)

31 - 5 - 4 = 22 (26, 22)

42 - 5 - 5 = 32 (37, 32)

33 - 6 - 3 = 24 (27, 24)

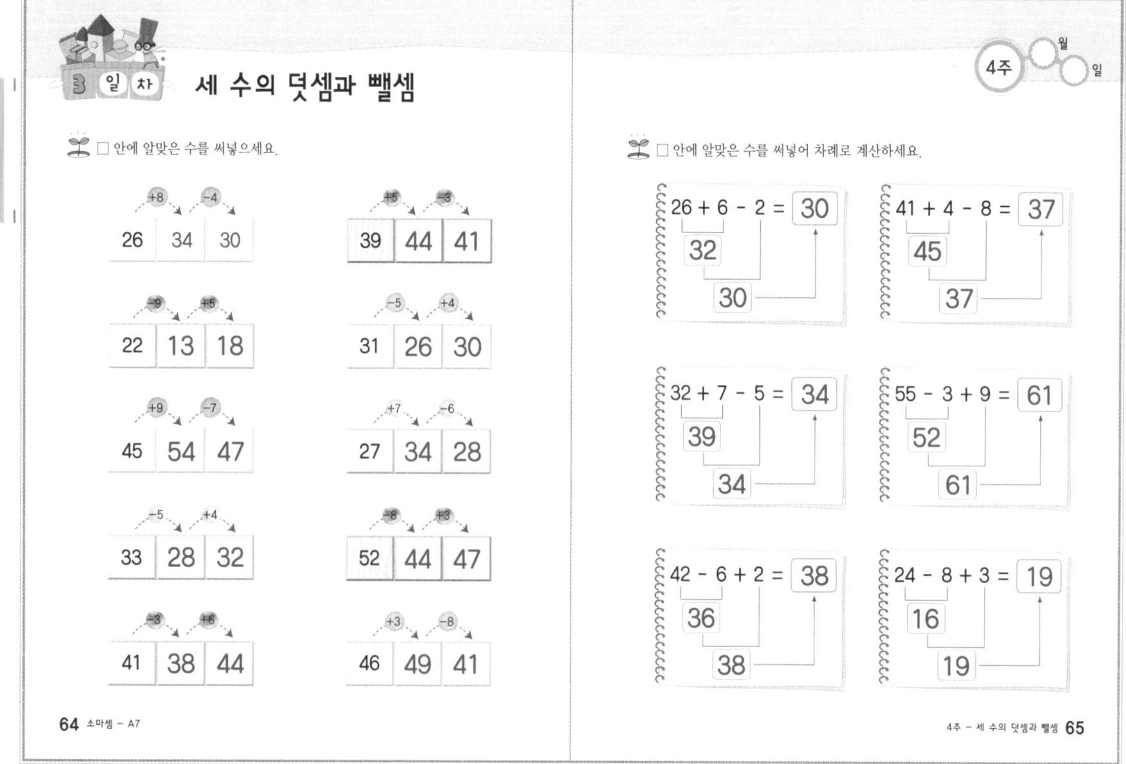

3일차 세 수의 덧셈과 뺄셈

□ 안에 알맞은 수를 써넣으세요.

계산			
+8, -4	26	34	30
+5, -3	39	44	41
-9, +5	22	13	18
-5, +4	31	26	30
+9, -7	45	54	47
+7, -6	27	34	28
-5, +4	33	28	32
-8, +3	52	44	47
-3, +6	41	38	44
+3, -8	46	49	41

4주 월 일

□ 안에 알맞은 수를 써넣어 차례로 계산하세요.

26 + 6 - 2 = 30 (32, 30)

41 + 4 - 8 = 37 (45, 37)

32 + 7 - 5 = 34 (39, 34)

55 - 3 + 9 = 61 (52, 61)

42 - 6 + 2 = 38 (36, 38)

24 - 8 + 3 = 19 (16, 19)

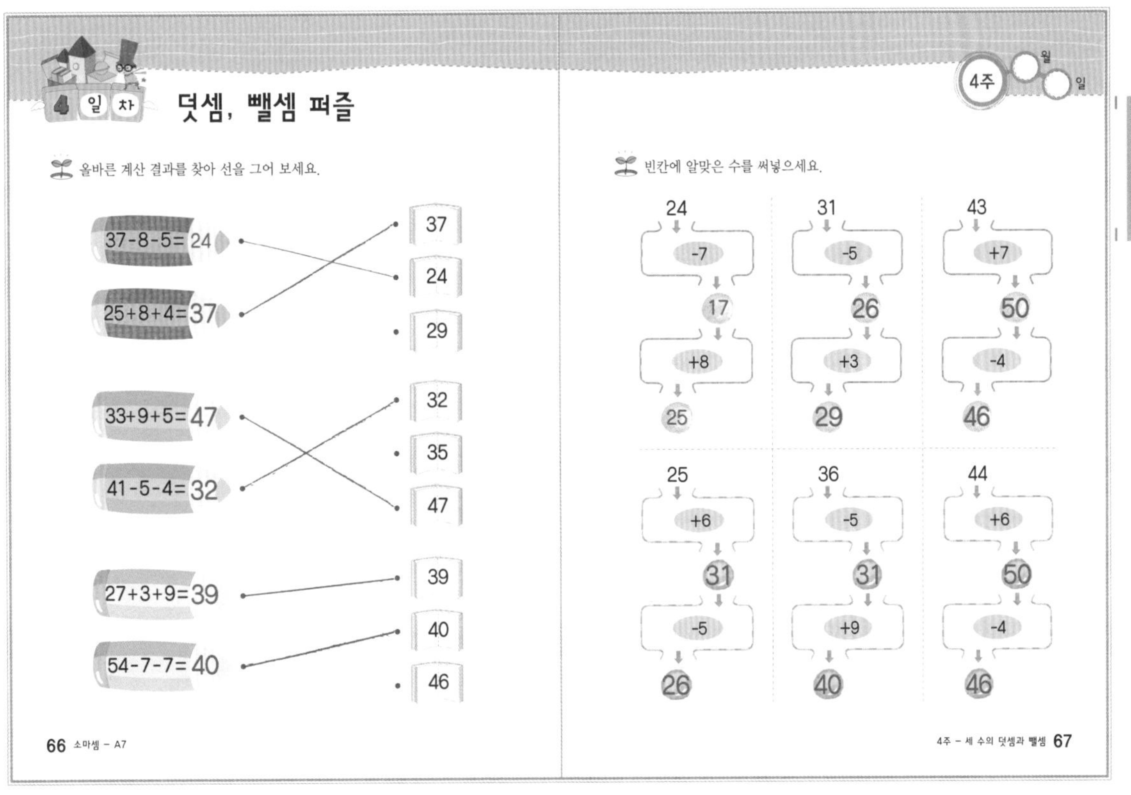
P 66 ~ 67
4일차 덧셈, 뺄셈 퍼즐
올바른 계산 결과를 찾아 선을 그어 보세요.
37-8-5=24
25+8+4=37
33+9+5=47
41-5-4=32
27+3+9=39
54-7-7=40
37
24
29
32
35
47
39
40
46
4주 월 일
빈칸에 알맞은 수를 써넣으세요.
24 -7 17 +8 25
31 -5 26 +3 29
43 +7 50 -4 46
25 +6 31 -5 26
36 -5 31 +9 40
44 +6 50 -4 46
66 소마셈 - A7
4주 - 세 수의 덧셈과 뺄셈 67

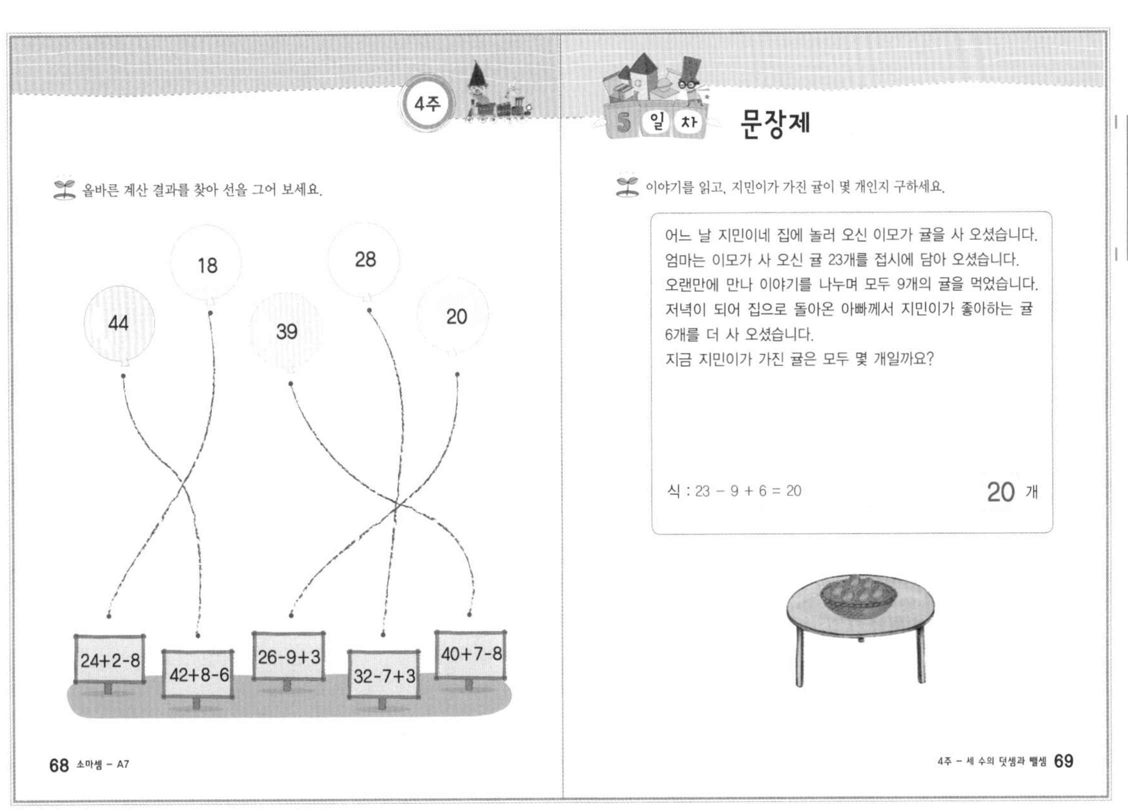
P 68 ~ 69
4주
올바른 계산 결과를 찾아 선을 그어 보세요.
44
18
39
28
20
24+2-8
42+8-6
26-9+3
32-7+3
40+7-8
5일차 문장제
이야기를 읽고, 지민이가 가진 귤이 몇 개인지 구하세요.
어느 날 지민이네 집에 놀러 오신 이모가 귤을 사 오셨습니다.
엄마는 이모가 사 오신 귤 23개를 접시에 담아 오셨습니다.
오랜만에 만나 이야기를 나누며 모두 9개의 귤을 먹었습니다.
저녁이 되어 집으로 돌아온 아빠께서 지민이가 좋아하는 귤 6개를 더 사 오셨습니다.
지금 지민이가 가진 귤은 모두 몇 개일까요?
식 : 23 - 9 + 6 = 20
20 개
68 소마셈 - A7
4주 - 세 수의 덧셈과 뺄셈 69

정답

P 70 ~ 71

신나는 연산!

4주 월 일

다음을 읽고 알맞은 식을 쓰고, 답을 구하세요.

지붕 위에 참새 33마리와 비둘기 8마리가 앉아 있습니다. 참새 5마리가 더 날아와 앉았다면 지붕 위에 있는 참새와 비둘기는 모두 몇 마리일까요?

식 : 33+8+5=46 　 46 마리

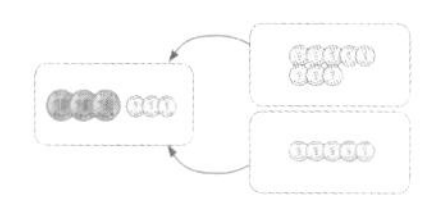

버스에 사람이 모두 25명 타고 있습니다. 첫 번째 정류장에서 4명이 내리고, 두 번째 정류장에서 5명이 내렸습니다. 버스에 타고 있는 사람은 몇 명일까요?

식 : 25-4-5=16 　 16 명

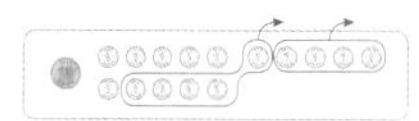

다음을 읽고 알맞은 식을 쓰고, 답을 구하세요.

소영이는 연필 31자루를 가지고 있습니다. 언니에게 5자루를 받고, 동생에게 6자루를 더 받았습니다. 소영이가 가진 연필은 모두 몇 자루일까요?

식 : 31+5+6=42 　 42 자루

지하철에 45명의 사람이 타고 있습니다. 다음 역에서 8명이 타고 4명이 내렸습니다. 지금 지하철에 타고 있는 사람은 몇 명일까요?

식 : 45+8-4=49 　 49 명

20살인 진우에게는 동생이 두 명 있습니다. 첫째 동생은 진우보다 6살이 적고, 막내 동생은 첫째 동생보다 4살이 적습니다. 진우의 막내 동생은 몇 살일까요?

식 : 20-6-4=10 　 10 살

P 72

4주

다음을 읽고 알맞은 식을 쓰고, 답을 구하세요.

접시에 땅콩이 42개 있습니다. 형이 8개, 동생이 7개를 먹었다면 접시에 남은 땅콩은 몇 개일까요?

식 : 42-8-7=27 　 27 개

수영이네 과수원에서 어제 사과를 37개 땄습니다. 오늘은 엄마를 도와 수영이가 6개, 동생이 4개를 땄습니다. 이틀 동안 딴 사과는 모두 몇 개일까요?

식 : 37+6+4=47 　 47 개

송이는 26살입니다. 송이의 언니는 송이보다 7살이 많고, 오빠는 송이의 언니보다 4살이 적습니다. 송이의 오빠는 몇 살일까요?

식 : 26+7-4=29 　 29 살

두 자리 수의 덧셈과 뺄셈

□ 안에 알맞은 수를 써넣으세요.

20 + 8 = 28
23 + 9 = 32
23 + 8 = 31
20 + 7 = 27
41 + 9 = 50
34 + 7 = 41
62 + 8 = 70
45 + 6 = 51
46 + 7 = 53
53 + 9 = 62
54 + 9 = 63
64 + 7 = 71
63 + 8 = 71
58 + 5 = 63

□ 안에 알맞은 수를 써넣으세요.

28 − 7 = 21
25 − 7 = 18
30 − 6 = 24
27 − 5 = 22
33 − 8 = 25
32 − 4 = 28
42 − 5 = 37
35 − 9 = 26
41 − 2 = 39
42 − 8 = 34
53 − 4 = 49
44 − 6 = 38
60 − 7 = 53
52 − 5 = 47

□ 안에 알맞은 수를 써넣으세요.

22 + 7 = 29
24 + 8 = 32
24 + 6 = 30
26 + 4 = 30
33 + 8 = 41
31 + 8 = 39
36 + 6 = 42
44 + 7 = 51
43 + 8 = 51
53 + 7 = 60
45 + 7 = 52
65 + 6 = 71
52 + 6 = 58
67 + 8 = 75

□ 안에 알맞은 수를 써넣으세요.

48 − 8 = 40
47 − 6 = 41
45 − 6 = 39
33 − 4 = 29
34 − 7 = 27
35 − 8 = 27
32 − 9 = 23
31 − 3 = 28
23 − 8 = 15
26 − 9 = 17
21 − 5 = 16
23 − 4 = 19
21 − 8 = 13
22 − 5 = 17

정답

P 78 ~ 79

□ 안에 알맞은 수를 써넣으세요.

30 + 6 = 36	24 + 7 = 31
35 + 6 = 41	20 + 7 = 27
51 + 8 = 59	60 + 8 = 68
73 + 7 = 80	50 + 7 = 57
38 + 7 = 45	52 + 9 = 61
53 + 8 = 61	63 + 6 = 69
67 + 7 = 74	59 + 4 = 63

78 소마셈 – A7

□ 안에 알맞은 수를 써넣으세요.

39 - 9 = 30	35 - 8 = 27
40 - 4 = 36	37 - 6 = 31
33 - 7 = 26	52 - 5 = 47
41 - 9 = 32	26 - 8 = 18
34 - 9 = 25	31 - 2 = 29
43 - 6 = 37	54 - 7 = 47
70 - 4 = 66	67 - 3 = 64

Drill – 보충학습 79

P 80 ~ 81

□ 안에 알맞은 수를 써넣으세요.

19 + 5 = 24	34 + 8 = 42
27 + 7 = 34	51 + 9 = 60
29 + 8 = 37	50 + 4 = 54
66 + 5 = 71	48 + 3 = 51
43 + 7 = 50	28 + 9 = 37
65 + 7 = 72	57 + 5 = 62
48 + 9 = 57	34 + 7 = 41

80 소마셈 – A7

□ 안에 알맞은 수를 써넣으세요.

27 - 9 = 18	40 - 8 = 32
51 - 4 = 47	36 - 5 = 31
44 - 5 = 39	51 - 6 = 45
62 - 4 = 58	36 - 9 = 27
29 - 7 = 22	42 - 2 = 40
41 - 6 = 35	64 - 8 = 56
50 - 6 = 44	62 - 5 = 57

Drill – 보충학습 81

받아올림이 없는
두 자리 수의 덧셈

□ 안에 알맞은 수를 써넣으세요.

11 + 30 = 41
21 + 46 = 67
34 + 22 = 56
30 + 41 = 71
36 + 13 = 49
42 + 37 = 79
13 + 55 = 68

33 + 40 = 73
42 + 24 = 66
31 + 45 = 76
26 + 12 = 38
10 + 70 = 80
35 + 21 = 56
16 + 23 = 39

□ 안에 알맞은 수를 써넣으세요.

16 + 23 = 39
34 + 20 = 54
10 + 30 = 40
45 + 30 = 75
13 + 54 = 67
48 + 21 = 69
24 + 53 = 77

43 + 20 = 63
35 + 13 = 48
10 + 47 = 57
36 + 11 = 47
27 + 22 = 49
33 + 55 = 88
41 + 26 = 67

P 82 ~ 83

□ 안에 알맞은 수를 써넣으세요.

10 + 80 = 90
22 + 50 = 72
33 + 56 = 89
43 + 20 = 63
31 + 42 = 73
44 + 24 = 68
35 + 23 = 58

23 + 40 = 63
34 + 14 = 48
48 + 11 = 59
53 + 10 = 63
50 + 30 = 80
35 + 12 = 47
18 + 11 = 29

□ 안에 알맞은 수를 써넣으세요.

20 + 27 = 47
41 + 36 = 77
23 + 46 = 69
31 + 26 = 57
43 + 13 = 56
53 + 22 = 75
42 + 14 = 56

30 + 11 = 41
27 + 12 = 39
36 + 23 = 59
18 + 31 = 49
22 + 57 = 79
40 + 31 = 71
23 + 45 = 68

P 84 ~ 85

정답

P 86 ~ 87

□ 안에 알맞은 수를 써넣으세요.

20 + 40 = 60

35 + 20 = 55

41 + 48 = 89

50 + 40 = 90

37 + 21 = 58

30 + 32 = 62

76 + 13 = 89

42 + 50 = 92

33 + 36 = 69

36 + 51 = 87

57 + 10 = 67

60 + 20 = 80

36 + 42 = 78

18 + 61 = 79

86 소마셈 – A7

□ 안에 알맞은 수를 써넣으세요.

23 + 42 = 65

45 + 30 = 75

37 + 41 = 78

40 + 40 = 80

36 + 50 = 86

30 + 30 = 60

55 + 24 = 79

37 + 50 = 87

55 + 14 = 69

63 + 20 = 83

25 + 62 = 87

46 + 20 = 66

51 + 16 = 67

33 + 44 = 77

Drill – 보충학습 87

P 88 ~ 89

2주차 drill

□ 안에 알맞은 수를 써넣으세요.

21 + 28 = 49

33 + 45 = 78

40 + 30 = 70

52 + 24 = 76

31 + 25 = 56

44 + 12 = 56

56 + 23 = 79

40 + 35 = 75

19 + 40 = 59

25 + 52 = 77

34 + 24 = 58

51 + 20 = 71

62 + 26 = 88

27 + 41 = 68

88 소마셈 – A7

□ 안에 알맞은 수를 써넣으세요.

31 + 31 = 62

26 + 42 = 68

51 + 40 = 91

30 + 43 = 73

55 + 12 = 67

42 + 33 = 75

66 + 10 = 76

50 + 30 = 80

22 + 45 = 67

34 + 22 = 56

25 + 30 = 55

60 + 18 = 78

44 + 32 = 76

40 + 47 = 87

Drill – 보충학습 89

받아내림이 없는 두 자리 수의 뺄셈

P 90 ~ 91

□ 안에 알맞은 수를 써넣으세요.

45 - 31 = 14
28 - 17 = 11
65 - 34 = 31
38 - 22 = 16
54 - 40 = 14
29 - 16 = 13
37 - 26 = 11

40 - 10 = 30
48 - 23 = 25
54 - 34 = 20
43 - 31 = 12
52 - 11 = 41
80 - 30 = 50
47 - 25 = 22

□ 안에 알맞은 수를 써넣으세요.

45 - 10 = 35
54 - 21 = 33
60 - 30 = 30
53 - 23 = 30
49 - 17 = 32
64 - 33 = 31
65 - 14 = 51

36 - 10 = 26
55 - 12 = 43
49 - 16 = 33
27 - 13 = 14
60 - 40 = 20
84 - 20 = 64
70 - 50 = 20

P 92 ~ 93

□ 안에 알맞은 수를 써넣으세요.

45 - 23 = 22
56 - 30 = 26
70 - 10 = 60
48 - 23 = 25
54 - 21 = 33
65 - 14 = 51
67 - 26 = 41

28 - 10 = 18
57 - 13 = 44
64 - 32 = 32
45 - 10 = 35
70 - 40 = 30
65 - 30 = 35
90 - 70 = 20

□ 안에 알맞은 수를 써넣으세요.

53 - 12 = 41
65 - 23 = 42
43 - 20 = 23
58 - 26 = 32
57 - 31 = 26
49 - 16 = 33
52 - 10 = 42

38 - 11 = 27
45 - 12 = 33
59 - 26 = 33
37 - 15 = 22
60 - 20 = 40
84 - 32 = 52
74 - 23 = 51

P 94 ~ 95

□ 안에 알맞은 수를 써넣으세요.

29 - 16 = 13

54 - 13 = 41

70 - 30 = 40

74 - 23 = 51

64 - 44 = 20

57 - 30 = 27

39 - 22 = 17

50 - 20 = 30

52 - 30 = 22

42 - 32 = 10

63 - 20 = 43

87 - 14 = 73

60 - 10 = 50

48 - 33 = 15

94 소마셈 - A7

□ 안에 알맞은 수를 써넣으세요.

48 - 17 = 31

58 - 30 = 28

70 - 20 = 50

49 - 30 = 19

58 - 18 = 40

59 - 40 = 19

68 - 16 = 52

29 - 10 = 19

77 - 12 = 65

59 - 33 = 26

37 - 10 = 27

60 - 50 = 10

85 - 20 = 65

80 - 60 = 20

Drill - 보충학습 95

P 96 ~ 97

□ 안에 알맞은 수를 써넣으세요.

26 - 10 = 16

48 - 15 = 33

61 - 40 = 21

67 - 25 = 42

53 - 30 = 23

90 - 50 = 40

75 - 24 = 51

55 - 22 = 33

47 - 40 = 7

58 - 33 = 25

49 - 26 = 23

85 - 34 = 51

68 - 18 = 50

57 - 35 = 22

96 소마셈 - A7

□ 안에 알맞은 수를 써넣으세요.

66 - 26 = 40

85 - 40 = 45

62 - 30 = 32

49 - 37 = 12

57 - 24 = 33

80 - 50 = 30

68 - 50 = 18

56 - 25 = 31

49 - 13 = 36

48 - 36 = 12

35 - 14 = 21

38 - 14 = 24

76 - 41 = 35

57 - 46 = 11

Drill - 보충학습 97

세 수의 덧셈과 뺄셈

□ 안에 알맞은 수를 써넣으세요.

26 + 8 + 2 = 36

33 + 4 + 7 = 44

32 + 5 + 4 = 41

29 + 3 + 5 = 37

35 + 4 + 6 = 45

51 + 8 + 3 = 62

44 + 7 + 2 = 53

31 + 7 + 2 = 40

18 + 4 + 2 = 24

26 + 4 + 5 = 35

35 + 7 + 2 = 44

36 + 7 + 1 = 44

29 + 5 + 3 = 37

45 + 6 + 3 = 54

□ 안에 알맞은 수를 써넣으세요.

25 - 5 - 6 = 14

31 - 6 - 3 = 22

21 - 8 - 5 = 8

33 - 4 - 8 = 21

26 - 6 - 4 = 16

35 - 9 - 2 = 24

42 - 3 - 5 = 34

19 - 6 - 3 = 10

25 - 7 - 3 = 15

34 - 5 - 2 = 27

26 - 8 - 4 = 14

43 - 5 - 2 = 36

25 - 9 - 4 = 12

52 - 8 - 4 = 40

P 98 ~ 99

□ 안에 알맞은 수를 써넣으세요.

35 + 4 + 6 = 45

22 + 6 + 7 = 35

25 + 6 + 6 = 37

31 + 5 + 7 = 43

29 + 2 + 4 = 35

33 + 6 + 7 = 46

52 + 5 + 8 = 65

26 + 7 + 5 = 38

19 + 5 + 6 = 30

27 + 3 + 4 = 34

35 + 5 + 3 = 43

36 + 4 + 8 = 48

29 + 6 + 8 = 43

44 + 5 + 6 = 55

□ 안에 알맞은 수를 써넣으세요.

24 - 4 - 5 = 15

32 - 5 - 5 = 22

23 - 6 - 2 = 15

35 - 6 - 5 = 24

27 - 7 - 4 = 16

42 - 4 - 8 = 30

57 - 7 - 5 = 45

18 - 6 - 7 = 5

26 - 8 - 5 = 13

35 - 3 - 6 = 26

26 - 7 - 5 = 14

44 - 8 - 5 = 31

26 - 5 - 9 = 12

51 - 7 - 3 = 41

P 100 ~ 101

정답

P 102 ~ 103

□ 안에 알맞은 수를 써넣으세요.

28 + 5 - 3 = 30
24 + 6 - 8 = 22
29 + 7 - 8 = 28
31 + 6 - 5 = 32
33 + 7 - 8 = 32
52 + 6 - 7 = 51
34 + 6 - 9 = 31

25 + 7 - 4 = 28
23 + 8 - 3 = 28
26 + 9 - 5 = 30
35 + 4 - 6 = 33
33 + 7 - 8 = 32
34 + 8 - 4 = 38
43 + 6 - 7 = 42

□ 안에 알맞은 수를 써넣으세요.

23 - 3 + 5 = 25
31 - 5 + 2 = 28
23 - 6 + 4 = 21
32 - 6 + 6 = 32
28 - 8 + 5 = 25
33 - 6 + 3 = 30
54 - 8 + 6 = 52

17 - 6 + 5 = 16
26 - 7 + 6 = 25
33 - 4 + 5 = 34
25 - 6 + 4 = 23
42 - 8 + 6 = 40
26 - 4 + 9 = 31
41 - 8 + 5 = 38

P 104 ~ 105

□ 안에 알맞은 수를 써넣으세요.

16 + 7 - 6 = 17
18 + 8 - 7 = 19
27 + 6 - 5 = 28
18 + 6 - 4 = 20
23 + 3 - 5 = 21
27 + 6 - 8 = 25
42 + 8 - 5 = 45

25 + 9 - 4 = 30
16 + 5 - 4 = 17
37 + 7 - 6 = 38
26 + 7 - 3 = 30
31 + 4 - 7 = 28
16 + 5 - 8 = 13
26 + 7 - 2 = 31

□ 안에 알맞은 수를 써넣으세요.

13 - 2 + 6 = 17
25 - 7 + 2 = 20
34 - 5 + 5 = 34
31 - 6 + 3 = 28
27 - 6 + 4 = 25
37 - 4 + 9 = 42
40 - 7 + 8 = 41

26 - 5 + 8 = 29
44 - 5 + 2 = 41
24 - 6 + 3 = 21
25 - 3 + 7 = 29
27 - 8 + 4 = 23
42 - 4 + 6 = 44
52 - 5 + 2 = 49

Note

Note

Note

Note